La Biblia Infantil

Con actividades para los niños

OCEANO

Es una obra de
OCEANO
GRUPO EDITORIAL

EQUIPO EDITORIAL

Dirección: Carlos Gispert
Subdirección y Dirección de Producción: José Gay
Dirección de Edición: José A. Vidal

Edición: Jaime Rovira
Textos: Eugenio Sotillos, Jaime Rovira
Maqueta: Esther Amigó
Diseño de Cubiertas: Andreu Gustá
Producción: Antonio Corpas, Antonio Surís,
Alex Llimona, Antonio Aguirre, Ramón Reñé

GRABACIÓN DE LOS CASETES

Director y Productor General: Gerardo Domal
Narradora: Janina Hidalgo
Personajes: François Clemenceau, Janina Hidalgo,
Gerardo Domal
Efectos de Audio: Gustavo (Peque) Vázquez,
Gerardo Domal

© MMII OCEANO GRUPO EDITORIAL, S.A.
Milanesat, 21-23
EDIFICIO OCEANO
08017 Barcelona (España)
Teléfono: 932 802 020*
Fax: 932 041 073
www.oceano.com

ISBN: 84-494-2028-8

Impreso en España - Printed in Spain

Depósito legal: B-33245-XLIV
9000721010801

ISBN 84-494-2028-8

Sigue las historias mirando los dibujos y escuchando el CD. El sonido de una lira te indicará cuando tienes que dar la vuelta a la página.

Este dibujo al principio de una historia, indica que puedes escucharla en el CD. ¿Estás preparado? Entonces ya podemos empezar.

NIHIL OBSTAT: El censor, Josep Mª Aragonés
IMPRIMATUR: Jaume Traserra,
Vicario General - Arzobispado de Barcelona

Presentación

Los padres siempre desean lo mejor para sus hijos, desde una escuela en la que se les dé una enseñanza idónea, hasta un buen regalo en circunstancias dignas de recuerdo. Lo hacen con todo el cariño. Con ese mismo cariño que **OCEANO** siempre ha demostrado hacia los niños con sus libros. Entre ellos, **LA BIBLIA INFANTIL**, que se acompaña de dos CD de audio con una selección de narraciones, ocupa un lugar destacado, porque pone al alcance de los pequeños algo que muchos padres consideran fundamental para su formación: la Historia Sagrada.

Los pequeños se sentirán cautivados leyendo estas historias, o escuchando el CD mientras miran con atención los lindos dibujos de María Pascual. Los personajes han sido representados en los dibujos por niños y niñas, lo que favorece una mayor identificación de los jóvenes lectores con los protagonistas de las historias. Por otra parte, las narraciones grabadas en CD constituyen una herramienta útil para los niños y niñas que no saben o están aprendiendo a leer.

Los temas o episodios se exponen cada uno en una doble página como historias independientes. Este original sistema de narración motiva a los niños y las niñas para la lectura y permite compartir agradables momentos con los personajes. Mientras tanto, descubren lo maravilloso que es aprender en los libros.

Detrás de cada grupo de historias se han incluido unas actividades. Las «Palabras clave» explican el significado de términos cuyo conocimiento es fundamental para comprender el texto, «Personajes» recuerdan la vida y personalidad de los principales protagonistas y «Dónde ocurrió" sitúa a los niños y las niñas en los lugares en que se desarrollaron algunos de los episodios más destacados de la Historia Sagrada.

LOS EDITORES

LA CREACIÓN.
LOS GRANDES PATRIARCAS

1

La Creación del Mundo

Dios, que es eterno, pues no tiene principio ni fin, decidió que sería hermoso crear el Mundo.

—Que se haga la luz —dijo el primer día—. A la luz la llamaré día y a las tinieblas noche.

En el segundo día Dios separó las aguas que estaban encima del firmamento de las que estaban debajo.

—Este firmamento se llamará cielo —decidió.

Separó luego el Creador el agua de la tierra y apareció lo seco. Y a lo seco lo llamó tierra, y a la reunión de las aguas le dió el nombre de mares.

Fue el tercer día.

Y luego dijo:

—Que crezca de la tierra hierba verde, hierba con semilla, y árboles frutales todos ellos con semilla.

Dijo Yavé Dios al cuarto día:

—Haya en el cielo luces para separar el día de la noche y poder contar los días y los años.

Y creó dos grandes luminarias: el Sol para dar luz al día y la Luna para diferenciar la noche.

En el quinto día puso Dios los peces

4

en los mares y las aves en el cielo, y los bendijo diciendo:

—Tened hijos y multiplicaros.

Vio Dios que era bueno lo que había hecho y luego creó las otras familias del reino animal: ganados, reptiles y bestias de la tierra.

Y dijo el Creador el sexto día:

—Ahora crearé al hombre a mi imagen y semejanza, para que domine sobre los peces del mar, sobre las aguas bajo el cielo y sobre todas las bestias de la tierra.

Y creó Dios al hombre a imagen suya, y luego a la mujer, y dijo:

—Creced y multiplicaros, y dominad sobre todo lo que he creado.

Así se acabaron los cielos y la tierra, descansando Dios al séptimo día después de lo que había creado.

La primera pareja: Adán y Eva

Dios llamó al primer hombre Adán, que quiere decir «hombre hecho de tierra», y le dio como vivienda un hermoso jardín, el Paraíso, para que habitara allí con todos los animales creados.

—No es bueno que el hombre esté solo —pensó Dios—. Voy a darle una compañera que se le parezca.

Hizo que Adán se durmiera profundamente y, tomando una de sus costillas, formó a la mujer, a la que llamó Eva.

—Ésta mujer sí que es hueso de mis huesos y carne de mi carne —exclamó Adán al despertarse y verla.

El Creador les repitió a los dos lo que antes había dicho a Adán:

—Podéis comer de todos los frutos del Paraíso, pero no el fruto del árbol de la ciencia del bien y del mal, porque si coméis de él, moriréis.

Adán y Eva vivieron dichosos durante algún tiempo.

Pero el espíritu del mal, el ángel que por desobediente había sido arrojado a los infiernos, envidioso de la felicidad de la primera pareja humana, tomó la forma de una serpiente y dijo a Eva:

—Si coméis del fruto del árbol prohibido, no os vais a morir, sino que seréis como Dios, lo sabréis todo.

Eva mordió el fruto que le ofrecía la serpiente y convenció a su compañero para que también lo probara.

Al instante sintieron vergüenza por ir desnudos y corrieron apresuradamente a esconderse, tapándose con unas hojas de higuera.

Pero Dios se les apareció y les reprochó que hubieran desobedecido.

Adán echó la culpa a Eva de lo que había pasado y Eva acusó a la serpiente.

Dios maldijo a la serpiente y anunció a nuestros primeros padres un futuro lleno de tristezas, trabajos y penalidades. Aunque con la esperanza de la Redención en un tiempo futuro.

Luego los arrojó del Paraíso, en cuya entrada colocó a un ángel con una espada de fuego, para guardar el camino que conducía al árbol de la vida.

El hermano envidioso

Adán y Eva lloraron amargamente el haber perdido su felicidad, arrepentidos de su pecado de desobediencia.

Pasado algún tiempo, Adán y Eva tuvieron dos hijos: Caín y Abel.

Al crecer, Caín, el mayor, se dedicó a labrar la tierra y Abel fue pastor.

Ambos hermanos hacían ofrendas al Señor, quemando Caín sobre un altar de piedra algunos frutos de su cosecha, mientras Abel lo hacía con los mejores animales de su ganado.

—Es extraño —se lamentó un día Caín muy enfadado—. El humo de tus ofrendas se eleva hacia el cielo y el de las mías se arrastra por el suelo, como si a Yavé no le gustaran mis sacrificios y sí, en cambio, los tuyos.

Caín, envidioso de Abel, a quien Dios favorecía y distinguía por su bondad, no pudo ocultar su enojo.

—¿Por qué estás enfadado y andas mirando el suelo? —le preguntó Dios—. Si obraras bien andarías con la cabeza alta. Pero como obras mal, el pecado no se aparta de ti.

Caín, en lugar de hacer caso de esta advertencia, tomó la decisión de eliminar a su hermano para librarse así de la angustia que sentía.

—Vayamos al campo —le dijo un día.

Y una vez allí, Caín, movido por la envidia y el resentimiento, dio muerte al confiado Abel.

—¿Dónde está tu hermano? —le preguntó Yavé.

—No lo sé —respondió el malvado hermano—. ¿Acaso soy su guardián?

—La voz de la sangre de tu hermano clama a mí desde la tierra. Y ella te maldecirá. Cuando labres te negará sus frutos y andarás por el mundo fugitivo y errante.

—Pero si alguien me encuentra me matará —se lamentó temeroso Caín.

—No será así —respondió Yavé—. Si alguien te matara, el malvado sería siete veces castigado.

Dios puso una señal a Caín, para que si alguien lo encontrase no lo matara y lo alejó de su presencia para que habitara lejos, en la región de Nod.

El Arca de Noé

S et fue el tercer hijo de Adán y Eva. Era un hombre justo y sus descendientes, por ese motivo, fueron llamados «Hijos de Dios», llegando muchos de ellos a alcanzar una edad muy avanzada.

Noé fue uno de esos descendientes de Set.

Un día, estando en el campo, escuchó la voz del Señor, que le decía:

—La gente se ha vuelto mala y corrompida. Voy enviar un diluvio para acabar con los hijos de Adán, pues me arrepiento de haberlos creado.

Pero como Noé había obrado bien a los ojos de Dios, recibió instrucciones para que él y su familia pudieran salvarse.

—Hazte un arca de madera que sea como un barco resistente —dijo el Señor— y sube a ella con todos los tuyos y una pareja de cada familia de animales. Incluso los reptiles y las aves.

—Así lo haré— respondió Noé.

Al verle construir el arca, todos los vecinos de Noé se burlaron de él.

—¿Para qué necesitas un barco tan lejos del mar y en una tierra tan seca? —le dijeron.

Noé les habló del castigo que iba a enviar el Señor sobre la tierra y les aconsejó que se arrepintieran de sus malas acciones.

—¡Bah!—volvieron a reírse de él—. ¿Quién eres tú para darnos consejos?

Una vez construida el arca, Noé y su familia entraron en ella, junto con los animales que habían de ser protegidos de la furia de las aguas.

No se veía ninguna nube y el viento estaba en calma, pero cuando Noé y los suyos hubieron cerrado las puertas y escotillas del arca, empezó a llover torrencialmente y las aguas del diluvio cubrieron la tierra.

El Diluvio Universal

Estuvo lloviendo durante cuarenta días y cuarenta noches y perecieron todos los seres vivos, excepto Noé, su familia y todos los animales refugiados en el arca, que navegó sin sufrir daño alguno sobre las turbulentas aguas nacidas de tan larga tempestad.

Cuando cesó el diluvio, Noé hizo salir a un cuervo del arca, detenida sobre un monte. El ave echó a volar y Noé y los suyos miraban con toda atención las evoluciones del cuervo por el cielo.

—La tierra no está seca todavía —dijo Noé—, pues vuela sin detenerse en ninguna parte.

Luego, tras unos días, soltó una paloma, y días más tarde otra, regresando la última con una rama en el pico.

—Eso es señal —dijo Noé— de que las aguas ya no cubren la tierra y que pronto podremos abandonar nuestra embarcación.

Y salieron todos del arca, viendo como aparecían en el cielo los hermosos colores del Arco Iris.

—Llenad la tierra —les dijo el Señor—, tened hijos y multiplicaros sobre ella.

Alabó Noé al Señor y, levantando un altar, ofreció sobre él un sacrificio en acción de gracias.

Aspiró Yavé el suave olor que se desprendió en aquella piadosa ceremonia religiosa, en agradecimiento hacia él, y se dijo en su corazón:

—Nunca más volveré a maldecir la tierra a causa del hombre, pues el corazón humano, desde que uno es pequeño, se inclina a veces hacia el mal. No volveré a castigar así a los seres vivos como acabo de hacer con el diluvio. Mientras la tierra exista habrá simiente y cosecha, frío y calor, verano e invierno, día y noche.

Y Dios bendijo a Noé y a sus hijos.

La torre de Babel

os hijos de Noé, que se llamaban Sem, Cam y Jafet, cuando fueron mayores, se marcharon de casa de su padre para instalarse en otras tierras y crear sus propias familias.

Cam, que se había burlado de Noé en una ocasión en que éste se había emborrachado, sin saberlo, con el zumo del fruto de la viña que había plantado, se estableció con su familia en las inmediaciones de los ríos Tigris y Éufrates.

Jafet y sus descendientes se asentaron en Asia Menor y Grecia.

Sem y los suyos, por su parte, se quedaron en las llanuras de Sumer, formando la raza de los semitas.

Los descendientes de Sem, que habían prosperado mucho, decidieron construir una torre muy alta para convertirla en el símbolo de su poder y grandeza.

—La elevaremos hasta el cielo —dijeron con orgullo— y así nos sentiremos iguales a Dios.

El proyecto fue aceptado y se inició de inmediato la construcción de la torre.

—¡Será la torre más alta que el hombre haya construido! —se decían los semitas entre sí.

Aquellas palabras que demostraban soberbia de los hombres desagradaron muchísimo al Señor, y se dijo:

—Creen que van a hacer algo muy grande y nadie les convencerá de que están equivocados. Haré que, en vez de una sola lengua, hablen varios idiomas, de modo que no se entiendan los unos con los otros.

Como todos empezaron a hablar lenguas distintas, se creó una gran confusión, pues nadie entendía lo que le decían los otros y tuvieron que abandonar la construcción de la torre.

El soberbio edificio quedó sin terminar y se le llamó Torre de Babel, que significa «confusión».

Babilonia, la ciudad que había junto a la torre, se convirtió en el centro de las malas costumbres, adorando a dioses falsos. Fue, además, el lugar desde donde partieron las gentes en direcciones distintas porque no se entendían al hablar.

Abraham y la hermosa Sara

bram, uno de los descendientes de Sem, que más tarde tomó el nombre de Abraham, se instaló en la ciudad de Ur.

Abraham no había adorado a dioses falsos y se mantenía fiel a los mandatos del Señor.

Un día le dijo Yavé:

—Sal de esta tierra y ve hacia el lugar que te indicaré.

Obedeció Abraham lo que le decía el Señor y salió de la ciudad con su hermosa esposa Sarai y con Lot, su sobrino, además de sus bienes y su ganado, hasta llegar a Canaán.

—Ésta es la tierra que te prometí —le dijo Yavé—, y será tuya y de tu descendencia. Y haré de ti un gran pueblo y te bendeciré y engrandeceré tu nombre.

Habiéndose producido una gran escasez de cosechas, Abraham levantó su campamento y partió hacia otras tierras, bajando luego hasta las tierras de Egipto.

Temeroso de que los egipcios quisieran quitarle a Sarai, que como se ha dicho era muy bella, le dijo Abraham:

—Di a todos que eres mi hermana, para que así te traten bien, y podamos los dos salvar la vida de esta manera en caso de peligro.

Abraham fue muy bien acogido por los egipcios y consiguió aumentar sus bienes y su ganado, regresando al cabo de algún tiempo mucho más rico que antes.

También Lot, sobrino de Abraham, que le acompañaba, tenía rebaños, ganados y tierras.

Como sus terrenos eran muy grandes y poco definidos, los pastores de Abraham y los de Lot reñían a menudo por la propiedad de las reses y el dominio de los pastos.

Por eso cierto día, después de una fuerte discusión entre ellos, se reunierón Lot y su tío Abraham.

—Es difícil poner paz entre ellos —dijo Lot.

—Es cierto —replicó Abraham—. He pensado mucho en ello y para que no haya peleas entre tú y yo, ni entre mis pastores y los tuyos, será mejor que nos separemos.

Los pastores enemistados

Cada vez resultaba más difícil mantener la amistad entre los pastores de Abraham y los que guardaban los rebaños de Lot.

—¿Dónde puedo ir? —preguntó Lot.

—¿No tienes ante ti toda la región? Puedes dirigirte a la zona del Jordán, rica en agua y pastos.

Lot, siguiendo la decisión de su pariente, se separó de Abraham y se dirigió hacia aquella parte del Jordán, estableciéndose en la ciudad de Sodoma.

Y después que Lot se hubo separado de él, dijo Yavé a Abraham:

—Toda esta tierra que ves te la daré a ti y a tu descendencia.

Yavé protegió a Abraham de la codicia del rey de Sodoma que quería quitarle sus bienes.

—No temas —dijo el Señor—, pues yo seré como un escudo para ti.

Sarai era estéril pero Abraham deseaba tener un hijo que le sucediera.

Dios consoló a Abraham y un día le dijo:

—Sarai, tu mujer, que a partir de ahora se llamará Sara, te dará un hijo al que llamarás Isaac.

A pesar de que Sara era de edad muy avanzada, tuvo el hijo que tanto esperaban. Yavé confirmó así su promesa visitando a Abraham por medio de dos ángeles, cuya misión era la de castigar a Sodoma y Gomorra por sus malas acciones.

—Señor —dijo Abraham, recordando que su sobrino vivía en Sodoma—, ¿vas a castigar juntamente al justo con el malvado?

La destrucción de Sodoma y Gomorra

ot, el sobrino de Abraham, estaba sentado a la puerta de la ciudad cuando llegaron los dos ángeles enviados por Yavé.

Lot les ofreció recibirlos en su casa.

Mientras los enviados del Señor estaban en casa de Lot, los malvados habitantes de la ciudad llamaron a éste y le dijeron:

—¡Entréganos a esos dos extranjeros que tienes en tu casa!

—Por favor, hermanos —les suplicó Lot—, no les hagáis ningún daño.

—¡Vaya, vaya, vaya! —le respondieron—. Tú que has venido a Sodoma como extranjero, ¿vas a querer gobernarnos ahora?

Y gritaron contra Lot, intentando abrir la puerta.

Pero los ángeles intervinieron en favor del sobrino de Abraham, dejando ciegos a los que pretendían entrar en la casa.

Al amanecer, los enviados del Señor dijeron a Lot:

—Toma a tu mujer y a las dos hijas que tienes y sal de la ciudad, pues, por mandato de Yavé vamos a destruir este lugar corrompido.

Una vez que Lot y su familia estuvieron fuera de la ciudad, le advirtieron diciendo:

—No mires atrás y no te detengas en ningún sitio del valle; huye al monte si no quieres morir.

A la salida del sol, cuando Lot y los suyos iban camino de Segor, Dios hizo llover azufre y fuego desde el cielo, destruyendo las dos ciudades de aquel valle, Sodoma y Gomorra, con todos sus habitantes.

La mujer de Lot quiso ver lo que pasaba desoyendo la recomendación de los ángeles, y se convirtió en un bloque de sal.

Abraham miraba hacia el lugar donde estaban las dos ciudades, y al ver a lo lejos que salía una gran humareda, comprendió lo que había pasado.

Segor, la ciudad en que se había refugiado Lot con sus dos hijas, se salvó de la destrucción.

Sacrificio de Isaac

Después del nacimiento de su hijo Isaac, Abraham y Sara vivieron años de prosperidad y abundancia de bienes.

Yavé, deseando poner a prueba al anciano patriarca, se le apareció y le dijo:

—Abraham.

—Heme aquí, Señor.

—Anda —le ordenó Dios—, toma a tu hijo único, al que tanto amas, y ve a la tierra de Moriah. Allí me lo entregarás como ofrenda de un sacrificio sobre uno de los montes que yo te indicaré.

Abraham, con los ojos llenos de lágrimas, pero dispuesto a cumplir el mandato de Yavé, tomó a Isaac y se puso en camino dirigiéndose con tristeza hacia el lugar señalado.

Al llegar al pie del monte, Abraham cargó sobre Isaac el haz de leña que habían transportado a lomos de un asno.

—Padre —le dijo Isaac mientras subían por la ladera del monte—, llevamos el fuego y la leña, pero la ofrenda para el sacrifico, ¿dónde está?

—Dios ya la dará, hijo mío —le respondió su padre.

Llegados a la cima del monte, Abraham levantó el altar, dispuso sobre él la leña y luego ató a su hijo.

Pero cuando se disponía a herirle como ofrenda del sacrificio, escuchó la voz del ángel de Yavé, que le decía:

—¡Detente, Abraham! No extiendas tu brazo sobre el niño y no le hagas daño, porque ya has demostrado que temes a Dios y le obedeces en todo.

Abraham se llenó de alegría, y viendo cerca de allí un carnero enredado por los cuernos entre unas zarzas, lo colocó sobre la leña y lo ofreció como sacrificio al Señor en vez de su hijo.

—Por haber obedecido a Yavé —dijo el ángel del Señor— hasta el extremo de que habrías sacrificado a tu propio hijo, Yavé te bendecirá largamente y multiplicará tu descendencia como las estrellas del cielo y como los granos de arena de las orillas del mar.

»Todos los pueblos de la tierra se honrarán en tu descendencia porque le has obedecido.

23

Los hermanos gemelos

Siendo Abraham ya muy viejo, envió a uno de sus siervos a buscar una esposa para su hijo Isaac, pues no deseaba que éste se casara con una mujer cananea.

Partió el enviado de Abraham con un numeroso séquito hacia la región del río Éufrates donde se detuvo para que bebieran los camellos.

Estando allí se acercó una joven muy hermosa para sacar agua de un pozo con un cántaro.

—Dame de beber —dijo el siervo de Abraham a la doncella, que obedeció amablemente.

—¿De quién eres hija? —le preguntó el enviado de Abraham.

—¿No tendrías sitio en casa de tu padre, para pasar allí la noche?

—Soy hija de Betuel y me llamo Rebeca —respondió la joven, indicándole el camino.

Alojado en casa del padre de Rebeca, el siervo explicó a Betuel la misión que le habían encargado, a lo que éste respondió:

—Ahí tienes a Rebeca; tómala y vete, y que sea la esposa del hijo de tu señor, según lo dispuesto por Yavé.

De regreso, cuando el hijo de Abraham conoció a Rebeca, enamorado de su bondad y belleza, la tomó por esposa.

Isaac y Rebeca, al cabo del tiempo tuvieron dos hijos gemelos: Esaú y Jacob.

Esaú, el mayor y heredero de la familia, era un hombre fuerte y vigoroso, pero Jacob, el menor, era el preferido de su madre.

Cierto día que Esaú regresó de caza, encontró a su hermano Jacob preparando un guiso de lentejas.

¡Oh, que hambre tengo! —dijo el cazador.

—Pero no hay bastante comida para los dos —respondió Jacob.

—Anda, dame este guiso —replicó Esaú— y pídeme a cambio lo que quieras.

—Quiero tus derechos de hijo mayor —respondió Jacob.

—¡De acuerdo! —aceptó el despreocupado hermano.

—Ahora tengo hambre y de nada me sirve en este momento el que sea mayor que tú.

Jacob entonces le sirvió a Esaú el plato de lentejas, a cambio de que éste renunciara a la herencia paterna.

Elegido por error

La vida prosiguió como hasta entonces en el seno de aquella familia, después de lo que había ocurrido entre los dos hermanos sobre los derechos de la herencia del hermano mayor.

Esaú seguía, pues, con sus aficiones de ir al campo y de caza, mientras que Jacob prefería, como de costumbre, quedarse en casa.

Cierto día, Isaac ya muy anciano y ciego, a causa de la edad, decidió bendecir a su hijo mayor para confirmarle como heredero, según era costumbre en las familias.

Así pues, llamó a su presencia a Esaú y le dijo:

—Ve a cazar y con lo que captures prepárame un plato de los que a mí me gustan. Después de comérmelo te bendeciré, te nombraré mi heredero y, como soy ya muy anciano, podré esperar tranquilamente el fin de mi larga vida.

Pero Rebeca, aprovechando la ausencia de Esaú, planeó que Jacob suplantara a su hermano poniéndose sus pieles de cazador, para que el padre, al estar ciego, lo confundiera con el hijo mayor.

Preparó antes un suculento plato con carne de cabrito e hizo que Jacob, su hijo preferido, lo sirviera al anciano, haciéndose pasar por su hermano.

Isaac, sin darse cuenta del engaño, bendijo a Jacob, confundiéndolo con Esaú y le otorgó su herencia.

A su regreso, Esaú que había ido ilusionado a cazar para prepararle a su padre la exquisita comida que le había pedido, se enteró de lo sucedido y protestó por ello ante el anciano.

Pero Isaac, después de darse cuenta del tremendo error que había cometido, sin querer, le dijo:

—He bendecido a tu hermano Jacob, creyendo que eras tú. Siento mucho lo ocurrido, pero ya no puedo volverme atrás. Jacob será, por lo tanto, mi heredero y se cumplirá en él lo que Yavé me ha prometido.

Esaú quiso castigar a Jacob y recuperar sus derechos cuando faltara su padre.

Pero Rebeca aconsejó a su querido hijo que marchara a Mesopotamia, donde vivía su tío, escapando del enfado de su burlado hermano.

El sueño de Jacob

Una noche, camino de Mesopotamia, Jacob se detuvo al pie de una colina, echándose en el suelo para dormir.

Pero al cerrar los ojos tuvo un extraño sueño.

Vio una larga escalera que, partiendo de tierra, subía hasta las estrellas.

Y vio Jacob, en sueños, que los ángeles de Yavé subían y bajaban por aquella escalera, escuchando la voz del Señor, que le decía:

—Yo soy el Dios de Abraham y de Isaac. La tierra sobre la que descansas será tuya y de tus descendientes. Tu dominio se ensanchará a occidente y a oriente, a norte y a sur, y en ti y en tus descendientes serán bendecidas todas las naciones.

Cuando despertó Jacob de su sueño, pensó:

—Ciertamente, Yavé está en este lugar, y yo no lo sabía.

Entonces tomó la piedra que le había servido de almohada, la alzó

como homenaje y vertió óleo sobre ella en recuerdo de la promesa del Señor.

—Llamaré a este lugar Betel —se dijo—, que quiere decir «Casa de Dios».

Prosiguió Jacob su camino, llegando a casa de su tío donde, al cabo de algún tiempo, se casó con Raquel, su prima.

Años más tarde, Jacob regresó a Canaán e hizo las paces con su hermano Esaú.

Jacob y Raquel tuvieron varios hijos, estableciéndose toda la familia en Betel, donde Yavé renovó la promesa que le había hecho tiempo atrás, diciéndole:

—Tu nombre es Jacob, pero ya no te llamarás así, sino Israel. Tendrás como descendientes muchos pueblos y también muchos reyes.

«La tierra que di antes a Abraham y a Isaac te la daré a ti y a tu descendencia».

Actividades

PALABRAS CLAVE

▶ **Paraíso o Jardín del Edén:** Era el lugar donde vivían Adán y Eva rodeados de todas las criaturas creadas por Dios.

Patriarca: Nombre que se da a algunos personajes de la Biblia por haber sido origen de familias y tribus.

▶ **Diluvio:** Período de cuarenta días y cuarenta noches durante el cual llovió sin cesar. Una paloma con una rama de olivo en su pico fue la señal de que el diluvio había terminado. La paloma con la rama de olivo ha perdurado como símbolo de paz entre los hombres.

▶ **Hijos de Dios:** En tiempos de Noé, las personas que eran justas y respetaban a Dios y a sus semejantes recibían el nombre de hijos de Dios.

PERSONAJES

Adán y Eva: Nombres que Dios otorgó al primer hombre y a la primera mujer, a los que creó a su imagen y semejanza.

Noé: Patriarca bondadoso y justo que Dios salvó del diluvio. Dios mandó a Noé que construyera una embarcación y que se refugiara en ella, junto con su familia y una pareja de cada especie animal. Noé cumplió la voluntad de Dios y sobrevivió al diluvio.

Abraham: Patriarca elegido por Dios para mostrar a su pueblo la tierra prometida, Canaán. Cuando llegó a ella, Dios le dijo que se la entregaba a él y a su descendencia.

DÓNDE OCURRIÓ

Busca en el mapa dónde se encuentran los lugares que se mencionan:

- La Biblia dice que el arca de Noé se posó sobre el **monte Ararat**, en las montañas de Armenia.

- Los desdendientes de Noé construyeron la famosa torre de **Babel**.

- El patriarca Abrahan era originario de la ciudad de **Ur**.

- Jacob se refugió en **Mesopotamia** para escapar de su hermano Esaú, luego regresó a **Canaán** e hizo las paces con Esaú.

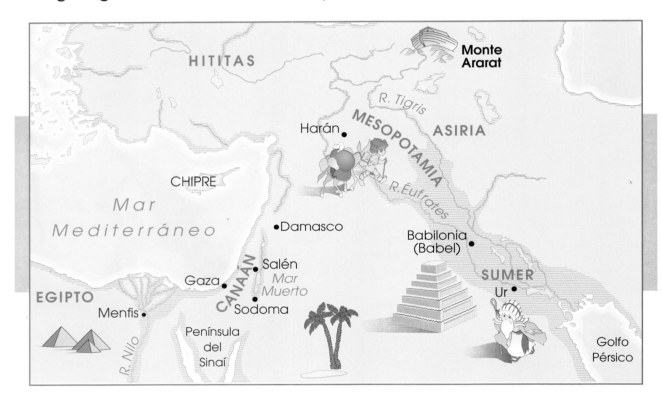

Recuerda que...

- Dios creó el Mundo.
- Tras el diluvio, Dios bendijo a Noé y a sus hijos.
- Dios puso a prueba a Abraham y éste le obedeció.
- Dios prometió a Abraham, Isaac y Jacob una tierra para sus descendientes.

LOS ISRAELITAS EN EGIPTO

2

Vendido como esclavo

De los doce hijos que tuvo Jacob, José era el preferido de su padre.

—¿Es que José es algo más que nosotros? —murmuraban entre sí los otros hermanos a causa de la envidia:

Su enfado para con él se hizo mayor cuando José les contó un día el sueño que había tenido.

—Soñé —les dijo— que estábamos en el campo recogiendo espigas y atando paja, y mi gavilla se tenía en pie, mientras que las vuestras se inclinaban ante ella, como si hicieran una reverencia.

—¿Quiere eso decir que vas a mandar sobre nosotros y que vas a dominarnos? —replicó enojado uno de los hermanos.

Poco después tuvó José otro sueño.

—He visto —dijo— que el sol, la luna y doce estrellas me rendían adoración. —Lo que causó un nuevo enfado en los otros.

Cierto día Jacob indicó a José que fuera a ver a sus hermanos, los cuales estaban en el campo cuidando del ganado, porque quería saber cómo estaba el trabajo.

—Mirad —se dijeron unos a otros al verle llegar— ahí viene el de los sueños. Vamos a acabar con él y diremos a nuestro padre que lo ha devorado una fiera.

—No —intervino Rubén—; no le hagáis daño; arrojadle a un pozo, pero no le pongáis las manos encima para herirle.

Rubén tenía la intención de regresar luego él solo y salvarlo.

Así que José fue arrojado a un pozo seco, pero luego al ver una caravana de mercaderes, que iba de camino cerca de allí, lo vendieron como esclavo.

Los envidiosos hermanos mancharon luego la túnica que vestía José y regresaron a casa diciéndole a Jacob:

—Hemos encontrado esto.

—¡Es la túnica de José —exclamó lleno de dolor Jacob—. ¡Una fiera lo habrá devorado!

Mientras Jacob lloraba al hijo que creía muerto, éste fue vendido en Egipto a Putifar, ministro del faraón y jefe de la guardia.

José en Egipto

Putifar, el jefe de la guardia del faraón, no tardó en apreciar las excelentes cualidades del esclavo que había adquirido y le nombró su mayordomo.

—Pongo en tus manos el gobierno de mi casa y todo lo que tengo —le dijo.

José, que había hallado gracia a los ojos del Señor, desempeñó su trabajo con mucho acierto. Y Yavé bendijo, gracias a José, la casa de Putifar aumentando su riqueza.

Pasado algún tiempo, la esposa de Putifar, enamorada de José que era un joven de hermosa presencia y bello rostro, le incitó a cometer una mala acción.

Pero José, honrado y virtuoso, se negó a los deseos de la esposa de Putifar, diciendo:

—No puedo hacer una cosa tan mala, pues sería ofender a mi señor y pecar contra Dios.

—Nadie lo sabrá —dijo ella, sin escuchar las palabras del joven.

—¡No! —la rechazó José—. Puesto que mi señor confía en mí, obraría como un desagradecido si le traicionara.

Pero ella insistió muchas veces. En cierta ocasión José entró en la casa para cumplir un encargo y la esposa de Putifar le agarró por el manto para retenerle. Pero José huyó presuroso dejando su manto en manos de la malvada mujer.

La esposa de Putifar, ofendida, acusó al joven mayordomo ante su esposo.

—Mira —le dijo mostrándole el manto—. Este joven hebreo que nos has traído ha pretendido ofenderme y, viendo que iba a gritar para pedir ayuda, dejó aquí su manto y escapó.

Putifar, creyendo lo que le decía su esposa, se puso furioso. Y ordenando detener a José lo puso en prisión.

Los compañeros de cárcel

ero Yavé extendió su protección sobre José y le hizo simpático a los ojos del jefe de la prisión, quien le encargó la vigilancia de los otros presos.

Al cabo de algún tiempo fueron apartados de su empleo el copero y el jefe de los panaderos del faraón, y encerrados ambos en la misma cárcel donde estaba preso José.

Los dos antiguos servidores del faraón, en una misma noche tuvieron un sueño y se lo contaron a José al día siguiente.

—En mi sueño —dijo el jefe de los coperos— tenía ante mí una vid con tres sarmientos que estaban echando brotes y florecían y maduraban sus ra-

cimos. Yo exprimí los racimos en una copa, que luego le di al faraón.

—Los tres sarmientos son tres días —dijo José interpretando el sueño—. Podrás poner al cabo de ellos la copa en manos del faraón, pues te restablecerá en tu cargo.

—Mi sueño fue el siguiente —dijo entonces el jefe de los reposteros—: llevaba yo sobre mi cabeza tres canastillas de pan blanco y pastelillos, pero las aves se lo comían.

Y respondió José:

—Las tres canastillas son también tres días. Pero al final de los cuales, desgraciadamente, el faraón te condenará para que te coman las aves.

Y añadió dirigiéndose al copero:

—Cuando estés de nuevo en tu cargo, habla en favor mío al faraón para que me saque de esta prisión, donde estoy encerrado injustamente.

—Así lo haré —prometió el copero.

Todo sucedió como había dicho José, pero el jefe de los coperos, una vez tuvo trabajo de nuevo en el palacio del faraón, no se acordó de su promesa.

Los sueños del faraón

Al cabo de dos años soñó el faraón que estaba a orillas del río y que salían del agua siete hermosas vacas muy gordas, que después eran devoradas por otras siete vacas feas y muy flacas.

—¡Qué extraño sueño! —exclamó.

Cuando volvió a dormirse, vio esta vez siete espigas grandes y hermosas que salían de una sola caña de trigo. Pero otras siete espigas, flacas y quemadas, devoraron a las siete primeras.

El faraón, muy preocupado, llamó a todos los sabios de la Corte y les prometió honores y riquezas si interpretaban sus sueños.

Pero tras muchas horas de estudio, ninguno de ellos lo consiguió.

Se acordó entonces el jefe de los coperos de su promesa a José y le dijo al faraón:

—Cuando estuve en la cárcel, José, un joven hebreo, interpretó un sueño que yo tuve, haciéndose realidad lo que me explicó.

Conducido a palacio en presencia

del faraón, José le respondió una vez conocidos los sueños reales:

—Tu sueño es uno sólo. Las siete vacas gordas y las siete espigas con grano anuncian siete años de abundancia; pero las siete vacas flacas y las siete espigas secas significan que vendrán luego siete años de hambre.

—Te creo —respondió el faraón—. Aconséjame lo que debo hacer, te lo ruego.

—Busca a un hombre sabio y justo. Ponlo al frente de la tierra de Egipto para que ordene guardar en almacenes los alimentos que sobren de esos años de abundancia y los reparta en los años de escasez y de hambre.

—Nadie hay mejor que tú, para ocupar ese cargo —dijo el faraón.

Y vistió a José con ricos ropajes y puso en su cuello un collar de oro, como símbolo de su autoridad.

José encuentra a sus hermanos

Al cabo de algún tiempo, José se casó con la hija de Putifar, de la que tuvo dos hijos.

José fue nombrado primer ministro, pues había salvado al pueblo del hambre y la miseria.

Como la escasez se había producido también en las tierras de Canaán, Jacob ordenó a sus hijos que se encaminaran a Egipto para comprar trigo.

José, que estaba dirigiendo las operaciones de venta en los almacenes reales, no tardó en reconocer a sus hermanos.

Para probarles se dirigió a ellos y les acusó de espías.

—No somos espías —se defendió Rubén—, venimos de Canaán. Somos once hermanos, pero Benjamín, el más pequeño, se quedó con nuestro padre.

—¿Decís que sois once hermanos?

—Sí —respondió Neftalí—. Teníamos otro hermano, pero murió devorado por una fiera.

—Pues uno de vosotros se quedará como rehén —ordenó José—. Sólo le concederé la libertad si regresáis en busca del trigo con ese hermano menor que tenéis.

De vuelta a Canaán, Jacob accedió, con gran tristeza, a que regresaran a Egipto con Benjamín.

Una vez allí, cargado el trigo, José escondió una copa de gran valor en el saco de Benjamín y lo acusó de haberla robado.

—Déjalo libre —suplicó Simeón—, pues nuestro padre morirá de pena al ver que Benjamín no regresa. Yo me quedaré en su lugar.

José, conmovido, se dio a conocer a sus hermanos y los perdonó entre lágrimas y abrazos.

Jacob, enterado más tarde de todo, dijo:

—¡Bendito sea el Señor! Si José os ha perdonado yo también os perdono.

A través del desierto

Jacob partió hacia Egipto con toda su familia y numerosos vecinos que también iban con los suyos, constituyendo así una larga caravana que atravesaba llanos campos o secos desiertos.

Y dijo Dios a Jacob, apareciéndosele una noche durante el viaje:

—Yo soy el Dios de tu padre; no temas ir a Egipto, pues os convertiré allí en un gran pueblo.

—¿En tierra extranjera? —preguntó Jacob.

—Yo iré contigo de momento a las tierras bajas de Egipto y os haré de nuevo regresar más tarde hasta aquí.

Prosiguió Jacob el viaje y se llevó con él a sus hijos y a los hijos de sus hijos, así como a las hijas y a las hijas de sus hijas.

Y le siguieron otras familias con sus ganados y todos los bienes que habían adquirido en las tierras de Canaán.

—Hijo mío —dijo Jacob a su hijo Judá—, ve delante de nosotros para anunciar a José nuestra llegada.

José hizo preparar un carro y se encaminó al encuentro de los suyos.

Abrazó a su padre y a sus hermanos y le dijo Jacob:

—Ahora ya puedo morir, pues he visto de nuevo tu cara y sé que vives todavía.

José entregó a su padre y a toda la familia una propiedad en la tierra de Egipto para que habitaran allí, tal como había ordenado el faraón.

Vivió Jacob todavía diecisiete años, bendiciendo a todos sus descendientes antes de dormirse en el Señor.

El pequeño Moisés

Pasaron los años y José comprendió que llegaba el fin de sus días.

—Yo voy a morir —dijo—, pero Dios ciertamente estará con vosotros y os hará salir de esta tierra de Egipto para ir a la tierra que prometió a nuestros antepasados.

Los hijos de Israel crecieron y se multiplicó su población. Pero el nuevo faraón, que no sabía la historia de José, dijo a su pueblo:

—Tenemos que impedir que los hijos de Israel aumenten su número, pues nos podría resultar peligroso.

El faraón sometió a los hebreos a la más dura esclavitud, dedicándolos a los pesados trabajos de construcción en las ciudades.

Pero, aunque murieron muchos debido a los malos tratos de los capataces, siguieron aumentando en número.

—Cuando nazca un niño entre ellos —ordenó el faraón—, matadlo.

Como esta cruel medida no dio el resultado deseado, pues escondían a sus hijos, ordenó que fueran arrojados al Nilo los niños hebreos recién nacidos. La orden no afectaba a la niñas.

Cierto día que la hija del faraón estaba en la orilla del río con sus doncellas, vio flotar una cesta de mimbre que había quedado enredada entre unas plantas de papiro.

Al aestapar la cesta, encontraron un niño en su interior.

—Es un hijo de hebreos —dijo la hija del faraón.

Compadecida del pequeño buscó a la madre y le dijo que lo criara hasta que fuera un poco mayor.

La mujer tomó el niño y lo crió. Y cuando fue algo crecido se lo llevó a la hija del faraón, que lo adoptó.

—Le llamaré Moisés —dijo—, que quiere decir «salvado de las aguas».

Esclavos en tierra egipcia

Moisés fue educado como un egipcio, pero nunca olvidó que pertenecía a la raza de los dominados y oprimidos hebreos.

A la par que crecía, Moisés salía a menudo de palacio para visitar a sus hermanos. Entonces se daba cuenta de la opresión en que se hallaban.

Un día vio cómo un egipcio maltrataba a uno de los suyos y al intentar defenderle mató, sin querer, al agresor, enterrándole en la arena para evitar que castigaran más a los israelitas si llegaban a descubrirlo.

Pero se supo lo ocurrido y Moisés, temeroso de ser detenido, huyó a la tierra de Madián, donde vivió en compañía de unos pastores aprendiendo las costumbres del desierto.

Aquel faraón murió, pero su sucesor siguió sometiendo a los israelitas a la más cruel de las servidumbres.

Un día, estando Moisés apacentando ganado en la ladera del monte Horeb, vio una zarza que ardía sin quemarse del todo y escuchó la voz de Yavé que le decía:

—¡Moisés! ¡Moisés! Yo soy el Dios de tus padres. He visto la aflicción de mi pueblo en Egipto y he bajado para librarles de las manos de sus opresores.

»Ha llegado el momento de cumplir tu misión, pues fuiste salvado de las aguas del Nilo para liberar a mi pueblo de la esclavitud y conducirlo, a través del desierto, a la tierra prometida.

—¿Y si los israelitas no quieren venir conmigo? —preguntó Moisés.

—Diles que su Dios te ha enviado.

—El faraón se negará a dejarnos partir, Señor.

—No temas —respondió Yavé—, que yo estaré a tu lado.

Moisés y su hermano Aarón se presentaron ante el faraón y le pidieron que dejara salir de Egipto a los hebreos, pues era la voluntad de su Dios.

Las plagas de Egipto

No conozco a ese Dios que dices —respondió el faraón— y no dejaré salir al pueblo de Israel.

Y, enojado, ordenó a sus soldados que aumentaran aún más su malvado poder sobre los hebreos.

Moisés, y su hermano fueron otra vez ante el soberano de Egipto y le hicieron nuevamente su petición.

Moisés, para demostrar que hablaba en nombre del Señor, arrojó su bastón al suelo y lo convirtió en una serpiente.

Pero el endurecido corazón del faraón no se conmovió por ello.

Moisés, entonces, hizo que el agua se volviera de color rojizo, como la sangre y corriera por el Nilo y sus canales.

Pero el faraón no cedió tampoco a la petición de los hebreos.

Yavé castigó a la tierra de Egipto con diez plagas terribles. Los campos se vieron invadidos por ranas, mosquitos y tábanos; las bestias de labor murieron a causa de la peste y un polvo espeso descendió del cielo, llenando de llagas a los hombres y animales.

Moisés y Aarón se presentaron ante el faraón después de que Yavé hiciera que el granizo y el fuego arrasaran la tierra, maravilla que fue seguida por una terrible plaga de langostas.

—Deja marchar a nuestro pueblo —pidieron.

Pero el faraón no accedió hasta que Yavé hizo morir al hijo mayor de cada familia egipcia.

Sólo fueron salvados los hijos de los israelitas gracias a una señal convenida que previamente los hebreos habían pintado en la puerta de sus casas.

—Id y salid de nuestras tierras —dijo al fin el faraón—. Llevaos vuestras ovejas y vuestros bueyes, como habéis pedido; iros y dejadme.

Así los hijos de Israel partieron de Ramases en número de unos seiscientos mil, sin contar los niños.

El paso del Mar Rojo

Salieron, pues, los israelitas de Egipto conducidos por Moisés, después de haber estado en tierra extranjera durante cuatrocientos treinta años.

Y Moisés dijo a su pueblo:

—Acordaos siempre del día en que salisteis de Egipto, de la casa de la servidumbre, pues ha sido la poderosa mano de Yavé la que os ha sacado.

»Durante siete días comeréis pan ácimo, y el día séptimo será la fiesta de Yavé. Cumpliréis esto los días que se fijen cada año.

Hizo Yavé que su pueblo diera un rodeo por el camino del desierto, hasta el Mar Rojo.

Iba Yavé delante de ellos, de día en forma de columna de humo, para

guiarlos en su camino, y de noche en forma de columna de fuego.

Pero el faraon, arrepentido de haber dejado marchar a los israelitas, salió en su persecución con un ejército formado por más de seiscientos carros.

Habiendo llegado a la orilla del Mar Rojo, Moisés extendió su mano sobre las aguas y éstas se separaron para dejar pasar a los israelitas.

Los hijos de Israel entraron en medio del mar, andando hasta alcanzar la otra orilla.

El ejercito egipcio se lanzó en su persecución pero entonces Moisés levantó su vara y las aguas se cerraron, sepultando a los soldados y oficiales del faraón, sin que ninguno de ellos quedara con vida.

Aquel día Yavé libró a Israel de los egipcios y el pueblo temió a Dios, y creyó en Él y en Moisés, su siervo.

Los israelitas, gozosos, entonaron un cántico en acción de gracias al Señor.

Actividades

PALABRAS CLAVE

▶ **Israelita:** Nombre que recibieron en Egipto los hijos y descendientes de Jacob, hijo de Isaac y Rebeca a quien Dios cambió el nombre y le dio el de Israel.

▶ **Las plagas de Egipto:** Penalidades y catástrofes sucesivas que sufrieron los egipcios. Mientras, Moisés y su hermano Aarón no cesaban de solicitar al faraón que librara de la esclavitud a los israelitas y les permitiera abandonar Egipto.

▶ **El paso del Mar Rojo:** Fue una de las mayores dificultades que encontraron los israelitas cuando se dirigían a Canaán, la tierra prometida. Milagrosamente, las aguas del mar se abrieron a su paso y pudieron escapar de la persecución de los egipcios.

Personajes

Jacob: Patriarca a quien Dios otorgó el sobrenombre de Israel. Cuando era anciano, Dios le animó a dirigirse a Egipto en busca de su hijo José. En ese país sus descendientes fundaron las doce tribus de Israel y recibieron el nombre de israelitas.

José: Era el hijo preferido de Jacob y un joven bueno e inteligente. Pero sus hermanos, que le envidiaban mucho, simularon su muerte y lo vendieron como esclavo a unos mercaderes. Así fue como llegó a Egipto, donde, gracias a su inteligencia y a que sabía interpretar los sueños, José fue muy apreciado por el faraón.

Moisés: Fue salvado de las aguas del Nilo por la hija del faraón, que lo educó como a un egipcio. Dios lo eligió para liberar de la esclavitud a los israelitas y guiarlos hacia la tierra prometida.

DÓNDE OCURRIÓ

Busca en el mapa dónde se encuentran los lugares que se mencionan:

- Invitado por su hijo José, Jacob y los suyos salieron de **Canaán** y se instalaron en la región de **Gesén**, en las tierras de Egipto.

- Al morir, Jacob fue llevado a Canaán y sepultado en una caverna, la misma en que ya habían sido sepultados Abraham e Isaac. Esta caverna está en **Hebrón** y es conocida como la tumba de los patriarcas.

- Dios se apareció a Moisés en forma de zarza ardiente en el monte **Horeb**, también conocido como Sinaí.

- Dios hizo que las aguas del **Mar Rojo** se separasen para que los israelitas pudieran atravesarlo en su salida de Egipto.

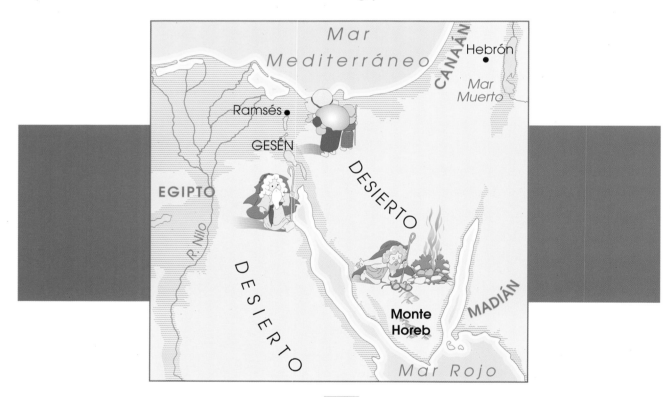

Recuerda que...

- Dios escuchó los ruegos de los hijos de Israel que estaban sometidos como esclavos.
- Dios recordó la promesa que le había hecho a Jacob y ayudó a los israelitas a salir de Egipto.

HACIA LA TIERRA PROMETIDA

3

El misterioso maná

Tras largos días de caminar por el desierto, a los israelitas empezó a faltarles el agua y los alimentos.

—¿Qué comeremos y qué beberemos? —empezaron a lamentarse—. Mejor hubiera sido no salir de Egipto.

—El Señor no nos abandonará —decía Moisés intentando calmar sus preocupaciones.

Así sucedió, pues Yavé envió sobre ellos una verdadera nube de chillonas codornices, con lo que hubo carne para todos.

Pero tras dos meses de marcha de nuevo las provisiones volvieron a agotarse y los descontentos murmuraron contra Moisés y Aarón.

Al día siguiente, al despertar, vieron todos que el campamento y sus alrededores estaban cubiertos por unos granitos de color blanco, menudos y redondos.

—Éste es el pan que Dios nos envía del cielo —dijo Moisés—. Recogedlo y coméroslo, pués nos va a servir como alimento en el camino.

Los israelitas comieron aquel extraño manjar, sabroso y dulce como la miel, y lo llamaron «maná».

Pero al cabo de un tiempo la falta de agua provocó de nuevo el descontento.

Moisés, por mandato de Yavé, golpeó con su vara la roca de Horeb y brotó de ella un abundante chorro de agua.

—¡Dios sea loado! —exclamaron los israelitas.

—No murmuréis más —les riñó Moisés— y reconoced la gloria de Dios que os ha sacado de Egipto para llevaros a la libertad y a la tierra de promisión.

Las Tablas de la Ley

Cuando Moisés entraba en su tienda, descendía sobre ella una nube y Yavé hablaba con él, como habla un hombre a su amigo.

—Yo iré contigo —le dijo el Señor.

—Si no vienes delante —respondió Moisés— no nos hagas salir de este lugar, pues ¿cómo vamos a conocer tu pueblo y yo que estamos bajo tu protección?

—No temas — le dijo Yavé—. Yo iré delante tuyo y te guiaré.

Estando los israelitas acampados al pie del Sinaí, dijo Yavé a Moisés:

—Sube a la cumbre del monte,

Obedeció Moisés lo que le ordenaba el Señor.

De todo el Sinaí salió un extraño humo, pues había descendido allí Yavé.

Y le dijo el Creador a Moisés explicándole los mandamientos:

—Yo soy el Señor tu Dios. Estos son los mandamientos que debéis cumplir: No tendrás otro Dios que a mí: no tomarás el nombre de Dios en vano: santificarás las fiestas; honrarás a tu padre y a tu madre; no matarás; no cometerás falsos testimonios, ni mentirás: no desearás la mujer de tu prójimo y no envidiarás los bienes que posean los otros.

Y luego le entregó dos tablas de piedra, en las que estaban escritos sus diez mandamientos.

La gloria de Yavé apareció ante los hijos de Israel como un fuego impresionante sobre la cumbre de la montaña.

Y Moisés, antes de bajar al campamento para enseñar las Tablas de la Ley del pueblo, permaneció en la cumbre del Sinaí durante cuarenta días y cuarenta noches.

El becerro de oro

Mientras Moisés permanecía en lo alto del Sinaí durante cuarenta días y cuarenta noches, Aarón y Hur habían quedado al cuidado del campamento.

Viendo que Moisés tardaba tanto en regresar, muchos creyeron que había muerto y, olvidándose del verdadero Dios, obligaron a Aarón a que ordenara construir una estatua que representaba un becerro de oro, para adorarle.

Todos entregaron sus joyas así como sus objetos de oro para que modelaran el falso ídolo.

—¡Éste es el dios que nos ha sacado de Egipto! —exclamaban chillando.

Cuando Moisés descendió del monte se puso furioso al encontrar a su pueblo adorando aquel ídolo. Enfadado estrelló las Tablas de la Ley contra el suelo.

—Me obligaron —se excusó Aarón— a que les hiciera ese becerro.

—¡Echad al fuego esa figura horrible! —ordenó Moisés.

Pero más tarde, viendo el arrepentimiento de los suyos, subió de nuevo a la cima del Sinaí, donde recibió del Señor unas nuevas Tablas de la Ley.

Al cabo de cuarenta días, cuando regresó al campamento israelita, exclamaron animosos los hijos de Israel:

—¡Yavé es nuestro único Dios!

—Cumplid sus mandamientos —añadió Moisés, al tiempo que mostraba las nuevas Tablas de la Ley.

Y su rostro resplandeció con un extraño brillo, porque había hablado con Yavé, el único y verdadero Dios, y además había visto su gloria.

El Arca de la Alianza

Mientras Moisés se hallaba en el monte recibió por parte del Señor un encargo muy importante:

—Di a los israelitas que me ofrezcan regalos valiosos para adorarme. Así estaré con vosotros para protegeros. Todos estos actos por parte de tu pueblo debéis hacérmelos en solemnes ceremonias. Los sacerdotes deben vestir ropas brillantes y pieles teñidas de vivos colores. Las lámparas deben quemar aceite y desprender aromas agradables y perfumes olorosos.

»Para celebrar estos actos debéis construir un templo que se pueda trasladar, para que Yo viva en él y pueda estar en medio vuestro. Ha de ser un arca de rica madera que no pueda destruirse. Una plancha de oro finísimo cubrirá sus paredes tanto por dentro como por fuera. Esa habitación sagrada tendrá en sus cuatro esquinas exteriores cuatro aros, para que puedan ponerse a través de ellos unas largas varas o palos de madera preciosa, recubierta también de oro, para transportarla.

»Y en el interior de ese Arca de la Alianza colocarás las Tablas de la Ley que te he dado para mi pueblo.

Siguiendo las órdenes de Yavé, Moisés hizo construir un arca de rica madera, cubierta de oro purísimo y que se podía transportar.

Dentro del Tabernáculo había dos compartimentos separados por un

velo; en el primero había un altar y un candelabro de oro de siete brazos, y en la segunda estancia se guardaba el Arca de la Alianza con las Tablas de la Ley.

El día que acabaron de construir el Arca una nube la cubrió, pero al anochecer apareció sobre ella una llama de fuego. Lo mismo ocurría cada día y cada noche.

Y guiados por esa nube que les servía de guía, los israelitas emprendieron su camino a través del desierto hacia la tierra prometida por el Señor.

Aventuras en el desierto

Yavé, además de los diez manda-mientos, dio a los hijos de Israel una serie de leyes referentes a las ceremonias religiosas y al modo de vivir en familia, de vestirse y de habitar con otras gentes.

Estableció también las fiestas que debían celebrarse y las fechas en que debían tener lugar las asambleas.

Sucedió cierto día que una mujer israelita, que tenía un hijo cuyo padre era egipcio, envió al muchacho a buscar provisiones al otro lado del campamento.

Allí, ese chico riñó con otro joven de su edad y, en medio de la pelea, maldijo el nombre de Yavé.

—¡Ha blasfemado! —dijeron los que presenciaron la riña.

Por eso Yavé dijo a Moisés:

—Haced salir del campamento a ese mal hablado que blasfema contra Dios.

Habiendo llegado los israelitas al desierto de Farán, el Señor ordenó a Moisés que mandara a varios hombres a explorar la tierra de Canaán.

70

Cuando esos exploradores volvieron al cabo de cuarenta días, mostraron al pueblo los frutos enormes de la tierra a donde habían ido, diciendo:

—Es cierto que es una tierra muy fértil, en la que abunda la leche y la miel, pero la gente que la habita es muy fuerte y de gran estatura, como lo demuestra el tamaño de esos frutos.

Entonces, como en anteriores ocasiones de peligro, la gente empezó a murmurar y a lamentarse, diciendo:

—¡Mejor hubiera sido morir en la tierra de Egipto que a manos de esos gigantes!

Yavé, enfadado, dijo a los israelitas:

—Ninguno de aquellos que han desconfiado de mi ayuda verá la tierra prometida.

Todos aquellos a quienes mandó Moisés a explorar y de regreso hicieron que la gente tuviera miedo, murieron de accidente como castigo por parte de Yavé.

Sólo Josué y Caleb quedaron con vida, porque habían confiado.

La elección de un Jefe

ierto día el Señor ordenó a Moisés que subiera al monte Abarim y allí dijo:

—Toma a Josué, hombre bueno sobre quien reside mi gracia y pon tus manos sobre él. Dale parte de tu autoridad, para que la asamblea del pueblo le obedezca.

Hizo Moisés lo que le había mandado el Señor y tomando a Josué lo llevó ante el sacerdote Eleazar y ante toda la asamblea de los habitantes que se habían reunido.

El pueblo muy contento aclamó a Josué porque lo presentaba Moisés, el que había logrado sacarles de las tierras de Egipto.

Y poniendo Moisés las manos sobre Josué lo proclamó como su sucesor, tal como había ordenado Yavé.

Los más jóvenes estaban muy satis-
fechos de la elección de Josué porque estaban seguros de que sólo él
era capaz de formar un ejército bien
entrenado para combatir a los enemigos que le impedían el paso hacia la
tierra prometida.

—Josué nos llevará a la victoria.
¡Con él conseguiremos vencer a los
madianitas!

Estas gentes, descendientes de Madián, habitaban en la parte norte de
la costa del Mar Rojo y, en varias ocasiones, habían atacado a los israelitas,
asaltando su campamento.

Por indicación de Yavé, Moisés reunió a la asamblea, diciendo:

—Que se reúnan mil hombres por
cada una de las tribus de Israel y for-
men nuestro ejército, de doce mil soldados, a las órdenes de Josué.

Moisés los mandó al combate y con
ellos fue también el hijo de Eleazar,
que llevaba consigo los objetos sagrados y sonoras trompetas.

Los israelitas avanzaron sobre Madián, de acuerdo a lo que Yavé había
mandado, y vencieron al pueblo enemigo y a los cinco reyes que lo gobernaban.

Los enemigos amalacitas

Después de la victoria sobre los madianitas, los hijos de Israel, conducidos por Josué, presentaron batalla a los distintos enemigos que les impedían el paso por sus tierras.

Pero el triunfo se presentaba a veces difícil. Muchas ciudades amuralladas, cerradas con puertas y cerrojos, se resistían al asedio de los guerreros de Josué.

En una de ellas, sus defensores lograron eliminar a muchos atacantes israelitas.

—¿Qué ocurre? —se lamentaron algunos oficiales—. ¿Es que Yavé nos ha abandonado?

—No desesperéis —les respondió Josué—. Dios nos entregará esta ciudad, lo mismo que nos ha entregado las otras.

Y Josué recordó el día que llegaron a las tierras de los amalacitas para arrojarles de sus dominios.

En aquella ocasión Josué, que todavía no había sido elegido como jefe de los ejércitos israelitas, presentó batalla al enemigo, mientras Moisés, desde la cima de un monte cercano al lugar donde se desarrollaba el combate, rezaba por la victoria.

Y sucedió que mientras tenía los brazos alzados, la lucha se inclinaba en favor de los suyos; pero si fatigado, los bajaba, la victoria iba en favor de los amalacitas.

—¡Sostenedme los brazos! —pidió Moisés a Hur y a su hermano Aarón.

Así lo hicieron los dos hasta que se puso el sol, momento en que Josué y sus guerreros pusieron en fuga al enemigo.

Venció también ahora Josué a sus enemigos y Moisés le recordó la promesa del Señor:

—Así hará Yavé también con todos los otros reinos contra los cuales vas a marchar. No los temáis, que Dios combate por vosotros.

Actividades

PALABRAS CLAVE

▶ **Maná:** Manjar muy nutritivo y de exquisito sabor que Dios envió a los israelitas durante su travesía del desierto. Gracias al maná el pueblo de Israel no pasó hambre en ese largo viaje.

Las Tablas de la Ley: Tablas de piedra en las que estaban escritos los diez mandamientos. Los israelitas tenían que observar estos mandamientos o leyes para cumplir la voluntad de Dios.

▶ **El becerro de oro:** Ídolo o dios falso que los israelitas construyeron y adoraron cuando creyeron que Moisés había muerto y no regresaría del monte Sinaí.

▶ **Arca de la Alianza:** Arca construida por los israelitas para guardar y transportar las Tablas de la Ley. Era de madera recubierta con láminas de oro. Simbolizaba la presencia de Dios entre el pueblo de Israel.

PERSONAJES

Moisés: Durante el viaje de Egipto a la tierra prometida, recibió de Dios las Tablas de la Ley, un conjunto de leyes por las que se regirían los israelitas.

Aarón: Era hermano de Moisés y en Egipto le ayudó a convencer al faraón. Pero durante la travesía del desierto no pudo contener a los impacientes y no supo impedir que construyeran el becerro de oro.

Josué: Fue el ayudante y sucesor de Moisés. Josué fue, además, el elegido por Dios para conquistar la tierra prometida.

DÓNDE OCURRIÓ

Observa el mapa, lee sus indicaciones y sigue el recorrido del pueblo de Israel:

1. Paso del Mar Rojo.
2. El pozo con agua amarga.
3. Las codornices y el maná.

4. La fuente de la roca.
5. Batalla contra los amalacitas.
6. Entrega de las Tablas de la Ley.

7. El becerro de oro.
8. Estancia de varios años.
9. Muerte de Moisés.

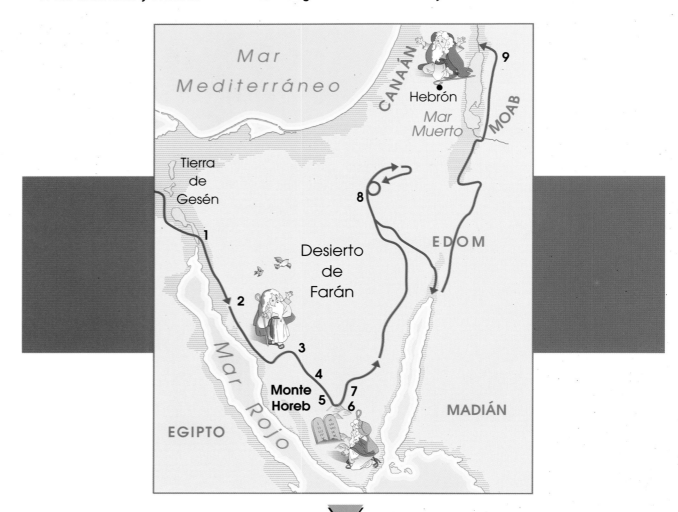

Recuerda que...

• Tomando a Moisés como instrumento, Dios guió al pueblo de Israel a través del desierto.
• Dios entregó a Moises las Tablas de la Ley.
• Josué confió siempre en Dios y fue el sucesor de Moisés.

EL PUEBLO DE ISRAEL

4

Las leyes de Moisés

Para recordar al pueblo los mandatos del Señor, Moisés mostró a los israelitas las nuevas Tablas de la Ley. Habían sido guardadas dentro del Tabernáculo, después que Yavé se las había entregado en el monte Sinaí.

Eran las Tablas que había enseñado Moisés al pueblo cuando llegó al campamento al bajar de aquel famoso monte.

Yavé, como tenía por costumbre, habló a Moisés y le dijo:

—Di a los hijos de Israel: Cuando hubiereis atravesado el Jordán, haced huir a todos los que habitan las tierras de Canaán. Tomad posesión de ese territorio y habitad en él, pues os lo doy para que sea vuestra tierra.

—Así lo haremos —le respondió Moisés.

Le indicó además el Señor cómo había de repartir las nuevas tierras entre las doce tribus de Israel.

También le ordenó Yavé que dictara las leyes necesarias para gobernar al pueblo. Como son, entre otras:

Servir y amar a Dios; hacerse respetar por los otros pueblos; celebrar las fiestas con solemnidad; elegir personas buenas para que sean ellas quienes gobiernen a los demás; cómo ha de ser la familia; la caridad que hay que tener con los otros; el cuidado y amor a los animales y muchas más.

Algo muy bonito sobre esto último, respecto al amor a los animales es lo que dice:

«Si yendo por un camino encuentras algún nido de pájaros en un árbol o bien en el suelo, y a la madre cuidando los pollitos o los huevos, no la tomarás.»

Acabó Yavé diciendo a Moisés:

—No temáis a los otros pueblos, aunque os parezcan más fuertes que vosotros. Porque si confiáis en vuestro Dios, que os sacó de Egipto, estará a vuestro lado y os ayudará.

Mirando la Tierra Prometida

Tras su largo camino a través del desierto, los israelitas llegaron a la llanura de Moab, cerca ya de las tierras de Canaán.

—Sube al monte Nebo —dijo entonces Yavé a Moisés.

Hizo Moisés lo que le ordenaba el Señor y vio desde la cima del monte la tierra que había sido prometida a los hijos de Israel.

—Esta es la tierra que juré dar a Abraham, a Isaac y a Jacob —dijo Yavé—. La entregaré a tu descendencia. A ti te la hago ver sólo con los ojos, pues ya no entrarás en ella.

—Hágase tu voluntad —respondió Moisés, agachando su venerable cabeza y emocionado al contemplar, aunque fuera desde lejos, la ansiada tierra prometida.

Muerte de Moisés

Moisés, el siervo de Dios, murió allí, en Moab, sobre el monte Nebo y a la vista de la tierra prometida, según la voluntad de Yavé.

Tenía ciento veinte años y no se habían debilitado sus ojos ni había disminuido su vigor.

Los hijos de Israel le lloraron por espacio de treinta días, sucediéndole en el mando Josué, hijo de Nun, que tenía gran sabiduría, pues había puesto Moisés sus manos sobre él y tenía gracia ante los ojos de Yavé.

No ha vuelto a tener Israel un profeta como Moisés, ni mano tan poderosa que hiciera tantos prodigios en beneficio de su pueblo.

Fue enterrado en la tierra de Moab, y nadie, hasta hoy, sabe dónde está su sepulcro.

Atravesando el río

Antes de entrar en la tierra prometida, Josué envió varios espías a Jericó para que le informaran sobre la seguridad de las defensas de la ciudad.

—Jericó no se puede conquistar —explicaron los exploradores al regresar—. Dispone de fuertes murallas para defenderse.

—¿Qué haremos entonces? —dijeron los menos decididos—. ¿No sería mejor retirarse?

—¡Eso nunca! —exclamó el animoso Josué—. Recordad que el Señor está con nosotros y nos ayudará siempre que le seamos fieles.

—Pero, ¿cómo derribaremos sus murallas?

—El que se hayan refugiado tras ellas demuestra que temen el combate abierto. Es evidente que Yavé ha puesto en nuestras manos toda esta tierra, pues sus habitantes están acobardados y nos temen.

Al cabo de tres días, por mandato del Señor, Josué hizo avanzar a los sacerdotes llevando el Arca de la Alianza delante de la gente.

Al llegar a la orilla del Jordán y al poner los sacerdotes el pie en el río, las aguas que bajaban de éste por la parte de arriba se pararon y las que bajaban hacia el mar se separaron de las otras. Así pudieron cruzar los israelitas hasta la otra orilla por el cauce seco.

Josué hizo colocar en aquel sitio doce enormes piedras, una por cada tribu, como si fuera un monumento, diciendo a los suyos:

—Cuando un día os pregunten vuestros hijos qué significan estas piedras, explicadles, diciendo: «Israel pasó este río andando por su fondo, porque Yavé, vuestro Dios, separó delante de nosotros sus aguas, como lo había hecho hace muchos años con las aguas del Mar Rojo.»

La conquista de Jericó

Tenía Jericó cerradas sus puertas y bien echados sus cerrojos por miedo a los hijos de Israel. Nadie salía ni entraba de ella.

Al llegar los israelitas frente a la ciudad, Josué, por orden del Señor, dijo a los sacerdotes:

—Caminad y que siete sacerdotes vayan tocando siete trompetas delante del Arca de la Alianza.

Y añadió dirigiéndose al pueblo:

—Marchad y dad también una vuelta alrededor de la ciudad, yendo armados delante del Arca de Yavé, pero en silencio.

Esta procesión se llevó a cabo durante siete días consecutivos.

Al séptimo día, después de la última vuelta las trompetas tocaron con gran fuerza y Josué dijo a los suyos:

—Gritad, porque Yavé os entrega la ciudad. ¡La victoria es nuestra!

Y así, a los sones de las trompetas y los gritos de los israelitas, las murallas se derrumbaron y los atacantes, victoriosos, entraron en Jericó.

Se salvaron las mujeres que habían ofrecido hospitalidad a los exploradores que Josué había enviado días antes.

Los hijos de Israel quemaron la ciudad con todo cuanto en ella había salvo el oro, la plata y los objetos de bronce y de hierro, que guardaron para el futuro como tesoro de la casa de Yavé.

—Sea maldito de Yavé —dijo Josué— aquel que intente edificar de nuevo esta ciudad de Jericó que acabamos de destruir.

El día que se detuvo el sol

El avance de los hijos de Israel prosiguió de forma irresistible, entablando duras y largas batallas con sus enemigos.

Durante la toma de Gabaón, como empezara a hacerse de noche sin que el adversario hubiera sido derrotado, Josué, inspirado por Yavé, dijo:

—¡Sol, detente sobre Gabaón, y tú, luna párate sobre el valle de Ayalón!

Y el sol se detuvo, alargando el día, hasta que el ejército de Josué hubo vencido al enemigo, que huía abandonando sus armas.

También fue ocupada Maceda y derrotados todos sus reyes.

Al cabo de mucho tiempo, vencidos los cananeos, jebuseos y amorreos, el ya anciano caudillo de Israel distribuyó las tierras conquistadas entre las doce tribus descendientes de los hijos de Jacob.

—Os he repartido estas tierras, tal como el Señor me ordenó —dijo—. Es-forzaos, pues, en seguir y hacer bien todo lo que está escrito en el libro de la ley de Moisés.

»No os mezcléis con las gentes que han quedado sometidas a vosotros: no invoquéis el nombre de sus falsos dioses, ni juréis por ellos ni los sirváis tampoco.

»Sed fieles a Yavé, vuestro Dios, como hasta ahora lo habéis hecho.

Algún tiempo después, Josué reunió en Siquem a todas las tribus y convocó a los ancianos, a los jueces y a los oficiales, diciéndoles:

—Temed a Yavé y servidle honradamente.

Y el pueblo respondió:

—¡No queremos apartarnos de Yavé, de ninguna manera, para servir a otros dioses!

La muerte de un héroe

Ante la asamblea reunida en Siquem, Josué terminó su alianza con el pueblo y le dio leyes y mandatos.

Luego ordenó que colocaran una gran piedra debajo de una encina y dijo a todo el pueblo:

—Esta piedra servirá, llegado el momento, como testimonio contra vosotros, pues ha oído todas las palabras que Yavé os ha dicho, y será testigo para que no neguéis a vuestro Dios.

Y Josué, dicho esto, mandó a las tribus del pueblo que se fuese cada una a su territorio.

Josué, siervo de Yavé, murió a la edad de ciento diez años y fue sepul-

tado en la tierra de su posesión, en la montaña de Efraim.

El pueblo de Israel sirvió a Yavé durante toda la vida de Josué y durante toda la vida de los ancianos que le sobrevivieron.

También José, hijo de Jacob, que los israelitas habían acompañado desde Egipto, fue enterrado en Siquem.

A la muerte de Josué los israelitas consultaron a Yavé, diciendo:

—¿Quién de nosotros será la tribu encargada de combatir a los cananeos?

Y respondió Yavé:

—Judá, pues he destinado esa tierra para ella.

Y fueron al combate contra los cananeos, tomando el resto de las ciudades, que todavía no habían sido conquistadas.

Aunque se quedaron a vivir con los vencidos, al principio no se mezclaron con ellos, pero con el tiempo las nuevas generaciones de israelitas se juntaron con los antiguos enemigos y empezaron a adorar también a sus falsos dioses.

Un nuevo Gran Jefe

Viendo Yavé que el pueblo escogido había hecho malas obras y adoraban a dioses falsos, permitió que los israelitas cayeran bajo el dominio de los habitantes de Madián por espacio de siete años.

Suplicaron los hijos de Israel al Señor que les librara de su desgracia y Yavé escogió a Gedeón para que sacara a Israel del dominio de los madianitas.

—Toma el toro más gordo del rebaño de tu padre —dijo Yavé a Gedeón— y derriba el altar de Baal. Corta luego el árbol sagrado que hay junto al altar y constrúyeme con su leña un altar.

Cumplió Gedeón lo ordenado por el Señor y los madianitas, al ver derribado su ídolo, se aliaron con pueblos vecinos para atacar a los israelitas.

Gedeón, al frente de trescientos israelitas escogidos por el Señor, se dirigió una noche al campamento enemigo, llevando cada uno de ellos una trompeta y una vasija vacía.

A una orden de su jefe, los soldados de Israel tocaron las trompetas y rompieron los cántaros, produciendo un ruido ensordecedor.

—¡La espada de Yavé y de Gedeón! —gritaron lanzándose al ataque, blandiendo sus armas y agitando antorchas encendidas.

Los madianitas y sus aliados se dieron a la fuga, logrando los hijos de Israel una gran victoria.

—Sé nuestro rey —pidieron los israelitas a Gedeón.

Pero éste respondió:

—Sólo Yavé, el Dios verdadero, será vuestro rey.

Gedeón gobernó como juez durante cuarenta años. Al término de los cuales le sucedió su hijo Abimelec, que había sido el gran vencedor de la batalla.

La fuerza de Sansón

De nuevo cayó el pueblo de Israel en el pecado y el Señor lo abandonó esta vez en manos de los filisteos.

Sansón había sido bendecido por Yavé y dotado de una fuerza extraordinaria.

Cierta vez que Sansón estaba en una viña de los alrededores de Timna, le salió al paso un león y el joven hebreo, sin arma alguna, lo destrozó con la fuerza de sus manos.

En otra ocasión, Sansón enfadado con los filisteos que sometían a la esclavitud a su pueblo, tomó trescientas zorras, a las que ató a las colas teas encendidas y las dejó huir a través de los sembrados de los dominadores de Israel, quemando en su carrera todos los campos.

Furiosos los filisteos, atacaron a la tribu de Judá y encerraron a sus personajes más importantes.

—¿Qué delito hemos cometido? —se lamentaron los prisioneros.

—Sansón, uno de los vuestros, ha quemado nuestros sembrados. Traedle para que sea castigado y conseguiréis la libertad.

Los de la tribu de Judá detuvieron a

Sansón y lo entregaron atado a los filisteos.

—¡Ayúdame, Señor! —exclamó Sansón en su cautiverio.

La súplica del prisionero fue escuchada por Yavé.

Así Sansón, ayudado por el Señor, rompió las cuerdas que le sujetaban y atacó a un gran número de filisteos con la mandíbula de un asno, poniéndoles en fuga.

—Yavé está conmigo —dijo Sansón—, pues con una quijada de asno he vencido a mil filisteos.

Pero, agotado por la sed, invocó al Señor, diciendo:

—¿Voy a caer ahora, muerto de sed, en manos de mis enemigos?

Y Yavé hizo brotar agua de una peña.

Sansón bebió de ella y recobró sus fuerzas.

Sansón y Dalila

Sansón fue uno de los jueces de Israel durante mucho tiempo.

Cierto día, en Gaza, los filisteos rodearon la casa en que Sansón había entrado, cerrando las puertas de la ciudad para que no escapara.

Pero Sansón burló a los centinelas y arrancó las puertas de la ciudad con sus pilares y cerrojos y se los llevó a la cima del monte que mira a Hebrón.

Enterados los filisteos de que su mortal enemigo estaba enamorado de una mujer llamada Dalila, prometieron a ésta una importante recompensa si lograba descubrir de dónde procedía la fuerza de Sansón.

Sansón no quería decírselo a la joven filistea, pero, al fin, le descubrió su secreto.

—Jamás ha pasado navaja por mi cabello —le dijo—. Si me cortaran el cabello me quedaría sin fuerzas.

Dalila, aprovechando que Sansón se había quedado dormido, hizo entrar en su casa a un hombre que le cortó el cabello al israelita.

Al acudir los enemigos a los gritos de Dalila, se arrojaron sobre el indefenso Sansón y le cargaron de cadenas, cegándole y condenándole a dar vueltas a la rueda de un molino.

Cierto tiempo después un día que los filisteos celebraban una gran fiesta en el templo en honor de su dios Dagón, hicieron llevar allí al prisionero para burlarse de él.

—¡Ja, ja, ja, ja! —se rieron los filisteos al ver su triste aspecto—. ¿Dónde está ahora tu fuerza, israelita?

Pero los cabellos de Sansón habían vuelto a crecer y el prisionero pidió al chico que le hacía de guía (porque no veía) que le llevara junto a las columnas principales del templo.

—Señor —suplicó Sansón a Yavé—, devuélveme la fuerza.

Y Sansón se agarró a las dos columnas y haciendo fuerza en ellas, gritó:

—¡Que muera aquí Sansón con todos los enemigos filisteos!

Y el edificio se hundió sobre los príncipes de los filisteos, muriendo todos los que estaban allí, sepultados por los escombros.

La historia de Rut

En los tiempos en que gobernaban los jueces, hubo hambre en aquellas tierras. Por eso salió de Belén de Judá un hombre que, dejando su casa, se estableció con su familia en otra región.

Pero murió y su viuda se quedó con sus dos hijos, que habían contraído matrimonio con mujeres moabitas, una llamada Orfa y la otra llamada Rut.

Pero desgraciadamente los maridos murieron por lo que la suegra dijo a sus nueras:

—Andad, volveos cada una a la casa de vuestra familia.

Partió pues, Orfa hacia su tierra, pero Rut no quiso abandonar a Noemí, su suegra.

—No te dejaré —dijo—. Donde tú estés allí viviré yo; tu pueblo será mi pueblo y tu Dios será mi Dios.

Y sucedió que Rut, para atender al sustento de ella y de su suegra, fue a recoger espigas al campo de Boz, que era un lejano pariente.

Boz quiso comprar las tierras de Noemí, así que fue al campo donde conoció a la joven.

Supo entonces lo bien que se había portado, dejando su país y su familia para no abandonar a su suegra, que estaba sola en el mundo.

Boz se decidió a aceptarla como esposa y así dijo a los ancianos:

—Bien, sois testigos de que compro el campo, y que tomo al mismo tiempo por mujer a Rut.

Y tomó Boz por su esposa a Rut, que
al cabo de algún tiempo le dio un hijo,
del que Noemí fue la madrina.

De ese hijo de Rut y de Boz, llamado
Obed, nació Isaí, que fue el padre del
famoso David.

Samuel elige a un rey

Los filisteos habían declarado la guerra a los israelitas por lo que éstos se reunieron en el campamento y decidieron entre ellos:

—Vamos a traer el Arca de la Alianza de Yavé para que esté entre nosotros y de esta manera nos salve de nuestros enemigos.

Pero Yavé había abandonado a su pueblo a causa de sus malas acciones y permitió que los hijos de Israel fueran derrotados por los filisteos. Éstos se apoderaron del Arca de la Alianza, colocándola en el templo de su falso dios.

Pero el Señor se enfureció con los filisteos y castigó a todas las ciudades en las que era guardada el Arca.

—Devolvamos el Arca del Dios de Israel —dijeron—; que vuelva a su an-

102

tiguo sitio para que no nos castigue ni a nosotros, ni a nuestro pueblo.

Devuelta pues, el Arca de la Alianza los israelitas, pidieron al profeta Samuel que nombrara un rey para que gobernara el pueblo.

Yavé accedió a sus deseos y ordenó a Samuel que nombrara a Saúl, de la tribu de Benjamín.

Tomó Samuel un frasco de óleo, lo vertió sobre la cabeza de Saúl y le besó, diciendo:

—Yavé te elige por príncipe de los suyos. Tú reinarás sobre el pueblo de Yavé y le salvarás de sus enemigos.

En cuanto volvió Saúl las espaldas para alejarse de Samuel, se sintió ya otro hombre, lleno de valentía y de poder.

Samuel reunió al pueblo y dijo a los hijos de Israel:

—Aquí tenéis al elegido de Dios. No hay entre vosotros otro como él.

—¡Viva nuestro rey! —gritaron los israelitas.

Pero algunos que desconfiaban de él murmuraron entre ellos con desprecio:

—No creemos que éste vaya a salvarnos.

El rey campesino

Saúl empezó su reinado alcanzando muchas victorias sobre sus enemigos, los filisteos.

Pero los amonitas formaron un gran ejército para atacar a los hijos de Israel y sitiaron una ciudad.

Mensajeros de esa ciudad fueron a pedir ayuda a Saúl, que regresaba del campo con sus bueyes.

—El jefe amonita —le dijeron los mensajeros—, dice que sólo pactará la paz a condición de que seamos marcados como esclavos. Quiere hacer esto para deshonra del pueblo de Israel.

Saúl, muy enfadado por estas condiciones tan humillantes, mandó aviso por todo el territorio de Israel.

—Serán sacrificados los bueyes —dijo— de cuantos no se pongan en marcha a mis órdenes y las de Samuel para combatir al enemigo.

Y añadió, dirigiéndose a los mensajeros de la ciudad sitiada:

—Decid a los hombres sitiados que mañana les socorreremos.

Al día siguiente dividió Saúl el pueblo en tres grupos, entrando en el campamento de los amonitas que, puestos en fuga, se dispersaron.

—Castiguemos a aquellos que dudaban que Saúl sería un buen rey —dijeron algunos.

—No —respondió Saúl—; que nadie sufra daño, pues hoy ha salvado Yavé al pueblo de Israel.

Y dijo entonces Samuel:

—No os apartéis de Yavé, el único Dios verdadero. Servidle fielmente y con todo vuestro corazón; pero si seguís obrando mal, seréis castigados vosotros y también vuestro rey.

El fin de un orgulloso

L os amalecitas habían sido uno de los pueblos que impedían el paso de Israel a su salida de Egipto.

Un día, Samuel, transmitiendo la orden del Señor, dijo a Saúl:

—Ve y castiga a Amalec, y destruye todo cuanto es suyo, sin perdonar a nadie y no tomes nada como botín.

Reunió el rey Saúl sus fuerzas y las lanzó a la batalla sobre las ciudades de Amalec, consiguiendo una gran victoria.

Pero Saúl, desobedeciendo a Dios, dejó con vida al rey y permitió que el pueblo retuviera como botín los bienes encontrados en las ciudades conquistadas.

Yavé se dirigió entonces a Samuel y le dijo:

—Estoy arrepentido de haber hecho rey a Saúl, pues no me obedece y no hace lo que le digo.

Samuel riñó a su vez a Saúl, quién le prometió cambiar de conducta.

Pero el anciano no creyó en su arrepentimiento; regresó a su casa y no quiso volver a ver a Saúl.

Al cabo de algún tiempo, el Señor ordenó a Samuel que fuera a casa de Isaí en Belén y ungiera a David, el menor de sus siete hijos, como nuevo rey de Israel.

Hizo el anciano lo que el Señor le había indicado. Tomando el frasco de óleo ungió a David en presencia de su padre y de sus hermanos.

Y Dios protegió a David, que era un adolescente de rubios cabellos y hermosos ojos.

El Señor, en cambio, retiró su protección de Saúl, llenando de melancolía y tristeza su corazón.

—Busca un tañedor de arpa —aconsejaron sus servidores al rey— para que la toque y halles felicidad cuando los profundos pensamientos ocupen tu mente y la tristeza aparte la alegría de tu corazón.

El gigante Goliat

Uno de los servidores del rey, sabedor de que David sabía tocar el arpa, fue en su busca y lo condujo a palacio.

Y sucedió que cuando David tocaba el arpa, se alejaba la tristeza de Saúl.

Cierto día, los filisteos se habían concentrado frente a Soco para atacarla. Entre ellos había un hombre llamado Goliat, un gigante que cubría su cabeza con un casco y su cuerpo con un magnífico equipo de soldado.

—Elegid de entre vosotros un hombre que salga a pelear conmigo —dijo el filisteo—. Si en la lucha me vence, quedaremos como prisioneros, pero si soy yo el que gana aceptaréis la derrota y nos serviréis.

Saúl y todo Israel lo escucharon preocupados y sintieron miedo.

Goliat salía todos los días de su campamento, mañana y tarde, y repetía cada vez su desafío.

David dijo un día a Saúl:

—Que no se asuste tu corazón, Señor, ante las amenazas de ese filisteo. Yo, tu siervo, iré a luchar contra él.

Tras algunas dudas, Saúl concedió su permiso. David no quiso ponerse ninguna armadura ni tomar las armas y sólo llevó consigo su bastón de pastor, su honda y un cuenco con piedras que metió en su zurrón.

—¡Ja, ja, ja, ja! —se burló Goliat al verle—. ¿Crees que soy un perro para venir a mí con un bastón?

—Tú vienes a mí con espada y lanza —respondió David—, pero yo voy contra ti en nombre de Yavé, Dios de los ejércitos de Israel.

Y el muchacho metió la mano en el zurrón, sacó de él una piedra y la lanzó con la honda.

El guijarro le dio al filisteo en la cabeza y cayó de bruces en tierra.

Así fue cómo David, con una honda y una piedra, venció al gigante Goliat y liberó a su pueblo de aquel ejército enemigo.

El rey David

nvidioso Saúl de las muchas victorias que David había alcanzado, un día intentó atacarle con una lanza mientras el muchacho estaba tocando el arpa en su presencia.

David tuvo que huir y ponerse a salvo, pues sabía que el rey le buscaba movido por la envidia.

Algún tiempo después David descubrió que Saúl se hallaba descansando en su campamento en el interior de su tienda.

Logró entrar en ella, sin que nadie se diese cuenta, y encontró al rey durmiendo profundamente. Tenía a su lado su lanza y junto a la cama un jarro con agua.

Para demostrar su fidelidad al monarca, David le quitó el arma y el jarrón, sin causarle ningún daño, cuando hubiera sido muy fácil vengarse de él.

Cuando Saúl supo lo ocurrido prometió al fiel David que nunca más le haría ningún daño, agradeciendo así al joven su lealtad.

De nuevo y siguiendo la guerra los filisteos acamparon frente a Sunan con un poderoso ejército. Temeroso de ser derrotado, Saúl pidió ayuda a Yavé, que no escuchó sus oraciones.

Preocupado se dirigió a Endor, una cueva donde habitaba una adivina.

—¿A quién he de invocar para saber lo que preguntas? —dijo la pitonisa.

—Pregúntale a Samuel —respondió Saúl.

Este anciano que había muerto hacía mucho tiempo, se apareció en la cueva de la adivina y dijo a Saúl:

—¿Por qué has preguntado por mí?

—Estoy en un gran aprieto —respondió el rey—. Los filisteos me atacan y Yavé ya no me ayuda. Por eso te he invocado. Para que me digas lo que tengo que hacer.

—No obedeciste al Señor —dijo Samuel— y por eso Yavé hace eso contigo. Los hijos de Israel serán derrotados por los filisteos y mañana tú y tus hijos ya estaréis conmigo.

El hijo rebelde

Con la muerte de Saúl, David fue coronado rey con gran alegría por parte del pueblo que lo aclamó muy contento cuando se presentó delante de él.

Su reinado, después de vencer a sus enemigos, los filisteos y los moabitas, que quedaron sometidos al pueblo de Israel, fue largo y feliz. Fue un monarca aceptado con mucho agrado por todas las tribus.

David fue además de un gran rey, un excelente poeta y músico, que escribió unas canciones muy bellas llamadas Salmos. Pero con el tiempo y debido a su mucho poder, hizo también alguna mala acción.

Para castigarle, Yavé permitió que su hijo Absalón se rebelara contra su propio padre para quitarle el reino, haciéndole huir con un caballo a todo galope.

Las tropas de David y las de Absalón se enfrentaron en un combate decisivo, después de varias batallas en los bosques de Efraim.

Cuando Absalón vio que perdía el combate, huyó a lomos de un mulo de los soldados que le perseguían. Pero sus largos cabellos se enredaron en las ramas de una encina, quedando colgado de ellas.

A pesar de que David había ordenado que se respetara la vida de su hijo, un general mandó a los soldados que acabaran con él.

—¡Absalón, hijo mío! —lloró David al enterarse de lo ocurrido—. ¡Todo lo daría porque esto me hubiera ocurrido a mí y no a ti!

Cuando David vio llegado el fin de sus días, llamó a su presencia a su otro hijo, Salomón:

—Yo me voy por el camino de todos en la vida —le dijo—; esfuérzate en hacer el bien y pórtate como un hombre justo.

A la muerte de David, Salomón ocupó el trono de Israel dando comienzo a un glorioso reinado.

El sabio Salomón

stando Salomón, el nuevo rey, en Gabaón, se le apareció el Señor en sueños y le dijo:

—Pídeme lo que quieras que yo te lo daré.

—Yavé, mi Dios —respondió Salomón—, me has hecho reinar como sucesor de David, siendo yo tan sólo un muchacho sin experiencia. Puesto que he de gobernar un pueblo tan grande, dame un corazón prudente para conocerle bien y el poder de saber qué es lo bueno y qué es lo malo a fin de que yo pueda decidir con toda justicia.

Agradó mucho a Yavé esta respuesta y dijo a Salomón:

—Te doy de corazón esto que me has pedido, y añado además algo que no me has solicitado: tantas riquezas y glorias que no habrá en estos tiempos rey tan poderoso como tú. Y si sigues mis caminos, guardando mis leyes, te concederé además un reinado muy largo.

Salomón gobernó con acierto y sabiduría, rodeándose de prudentes consejeros y no de ambiciosos aduladores, como suelen hacer algunos gobernantes.

Al cuarto año de su reinado Salomón empezó la construcción del templo de Jerusalén.

Y dijo entonces Yavé:

—Tú estás edificando mi casa. Si guardas mis leyes y obedeces mis mandamientos, yo cumpliré contigo mi palabra, la promesa que hice a David, tu padre: viviré en medio de los hijos de Israel y no abandonaré a mi pueblo.

Cuando el magnífico edificio estuvo acabado y adornados todos sus salones, Salomón hizo colocar el Arca de la Alianza en el sitio más importante llamado «Santo de los Santos», diciendo:

—Yo he edificado esta casa, Yavé, para que sea tu residencia.

Salomón organizó un gran banquete para todos aquellos servidores y arquitectos que habían trabajado en la construcción del templo.

Y el rey y todo Israel ofrecieron sacrificios al Señor, prometiendo una vez más cumplir todas sus leyes.

Actividades

PALABRAS CLAVE

> **Las leyes de Moisés:** Leyes dictadas por Moisés para el gobierno de los israelitas. Las dictó por orden de Dios antes de entrar en la tierra prometida.

> **La Tierra Prometida:** Con este nombre se conoce también a Canaán, la tierra que Dios prometió dar a los descendientes de Abraham, Isaac y Jacob. Los israelitas tardaron muchos años en conquistarla.

> **Juez:** Persona que por su capacidad dirigía la lucha de los israelitas contra sus opresores y gracias al éxito obtenido se convertía en su gobernante.

PERSONAJES

Sansón: Era juez de Israel y estaba dotado de una fuerza extraordinaria. Pero se enamoró de la filistea Dalila. Cuando Dalila descubrió el secreto de su fuerza, le traicionó.

Rut: Fue bisabuela del rey David. Era tan buena que cuando enviudó permaneció con su suegra para cuidarla en la vejez, y no regresó con su familia como hacían entonces las viudas.

Saúl: Saúl fue el primer rey del pueblo de Israel. Tenía un carácter inestable y no siempre cumplió los designios de Dios.

David: Sucedió como rey a Saúl. En una ocasión, cuando era un muchacho, luchó con el gigante Goliat y lo venció lanzándole una piedra con su honda.

DÓNDE OCURRIÓ

Observa este mapa de la Tierra Prometida y sitúa en él estos episodios:

- Moisés muere en el **monte Nebo**.
- Los israelitas se apoderan de **Jericó**.
- Los ejércitos de David y Absalón se enfrentaron en los **bosques de Efraín**.

- David venció a Goliat en **Socó**.
- Josué repartió la Tierra Prometida entre las **doce tribus** de los descendientes de Jacob.
- El rey Salomón construyó el Templo de Dios en **Jerusalén**.

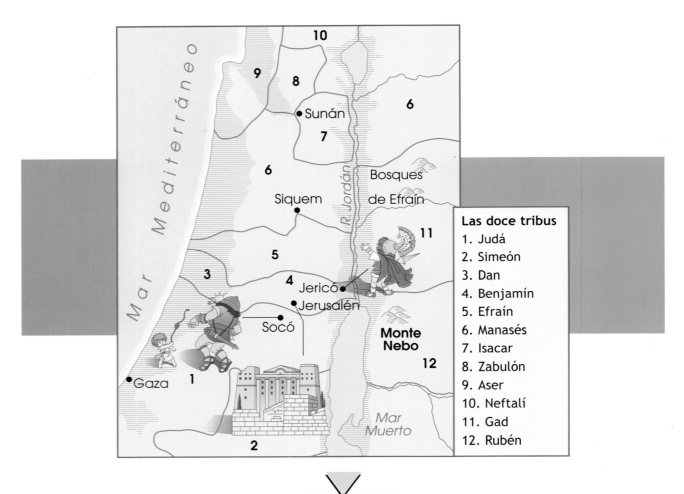

Las doce tribus
1. Judá
2. Simeón
3. Dan
4. Benjamín
5. Efraín
6. Manasés
7. Isacar
8. Zabulón
9. Aser
10. Neftalí
11. Gad
12. Rubén

Recuerda que...

- Dios ayudó a los israelitas a conquistar la Tierra Prometida.
- Después de la muerte de Josué, Israel estuvo gobernada por jueces.
- Con Saúl se inició la monarquía de Israel.

ESPERANDO AL MESÍAS

5

El juicio de Salomón

Cierto día, durante la reunión que Salomón concedía al pueblo para conocer sus necesidades, se presentaron ante él dos mujeres.

Una de ellas llevaba en sus brazos un bebé que había muerto, mientras la otra acariciaba un bebé muy vivaracho.

122

Al ser preguntadas, dijo una de las dos:

—Yo vivía con esta mujer en la misma casa y allí di a luz un niño; a los tres días ella también tuvo un hijo. Pero por la noche ha muerto su hijo, mientras dormía y, al darse cuenta, lo ha cambiado por el mío.

—Eso no es cierto, mi señor —replicó la otra mujer—: mi hijo es el que está vivo; es el suyo el que ha muerto.

Reflexionó Salomón unos instantes y ordenó:

—Traedme una espada.

Trajeron la espada al rey y éste se la dio a uno de sus oficiales, diciendo:

—Partid por el medio al niño vivo y dadle la mitad a una y la otra mitad a la otra.

—¡Oh, mi rey y señor! —exclamó la verdadera madre—, ¡Que no lo maten! Entrégaselo a ella, pero que el niño no sufra ningún daño.

En cambio la otra mujer replicó:

—¡Que no sea ni para ti, ni para mí! ¡Que nos lo repartan!

Entonces el rey ordenó:

—Dad a la primera mujer el niño vivo, sin causarle daño, ya que ella es su madre verdadera.

Toda Israel admiró aquella acertada sentencia que Salomón había pronunciado y vieron en él la sabiduría que Yavé le había concedido para hacer justicia a su pueblo.

La fama de Salomón traspasó las fronteras de su reino, llegando hasta muy lejanas tierras.

El fastuoso viaje de la reina de Saba

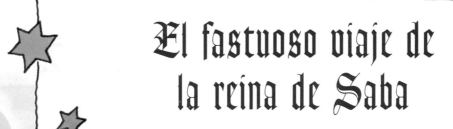

En cierta ocasión sintió curiosidad por ir a visitar a Salomón la famosa reina de Saba.

Así, acompañada por un gran número de cortesanos al frente de una lujosa comitiva, se presentó ante el rey.

Después de admirar el esplendor de la Corte, los exquisitos manjares de la mesa, el templo que había construido Salomón, sus numerosos servidores, y además la sabiduría del rey, le dijo:

—Veo que es cierto lo que de ti se dice en mi país. Bendito sea Yavé, tu Dios, que ha hecho el bien de ponerte en el trono de Israel.

La reina de Saba, en recuerdo de su visita, ofreció ciento veinte monedas de oro y una gran cantidad de perfumes y de piedras preciosas.

Salomón, a su vez, entregó a la reina de Saba todo cuanto ella deseó y le pidió. Y todos sus regalos fueron dignos de un gran rey.

Con aquel oro que los barcos de la reina transportaron, hizo el rey Salomón doscientos grandes escudos de oro macizo y un trono de marfil, con muchos adornos de tal grandeza y brillantez, que hizo exclamar a los que contemplaban aquella maravilla:

—¡No se ha hecho nada igual para ningún otro rey!

Fue Salomón el más grande de todos los soberanos de la tierra por sus riquezas y su sabiduría.

Todos le llevaban presentes, objetos de plata y de oro; vestidos, aromas, caballos y mulos.

El rey hizo que en Jerusalén abundara la plata como si fuera piedra. Sus árboles, los cedros, fueron tan numerosos como los sicomoros, aquellos otros árboles que tan abundantes son en el llano.

Pero Salomón, con el paso del tiempo, amó a muchas extranjeras desoyendo el mandato de Yavé, que había dicho a los hijos de Israel:

—No os relacionéis con mujeres de otros pueblos ni ellas con vosotros, porque es seguro que harán que vuestros corazones admiren a sus dioses.

El castigo de Salomón

Pero Salomón, lo mismo que había hecho David, su padre, con el tiempo se apartó de los mandatos de Yavé, permitiendo que algunas de sus esposas extranjeras pervirtieran su corazón.

Siguiendo los consejos de estas mujeres, Salomón hizo construir un templo dedicado a los falsos dioses en el monte que está frente a Jerusalén.

Y Yavé, enfadado, le dijo:

—Pues, ya que así has actuado y has roto mi alianza, yo abandonaré tu reino y se lo entregaré a un siervo tuyo. No lo haré, sin embargo, mientras vivas, por el amor que he tenido a David, tu padre.

Israel se mantuvo unida durante el reinado de Salomón, pero cuando éste falleció y fue sepultado en la ciudad de David, el heredero, su hijo Roboam, provocó el descontento de su pueblo.

Con el paso de los años subieron al trono de Israel otros reyes, entre ellos Ajab, que adoró también a los falsos dioses.

Él y su esposa Jezabel persiguieron a Elías y a otros profetas del Señor, que se atrevieron a criticar la mala conducta del rey.

Elías tuvo que buscar refugio en un torrente situado frente al Jordán.

—Nada temas —le dijo Yavé—. Beberás agua de este torrente y los cuervos te llevarán el alimento que necesites.

Y Yavé, para castigar la idolatría del rey, envió sobre Israel una gran sequía.

Se secaron los sembrados y murió de sed el ganado, pues no caía lluvia sobre la tierra.

Uno de los generales de Salomón se puso al frente de los rebeldes y fue proclamado rey por las diez tribus del Norte, pero acabó separándose también de los mandatos de Yavé y su casa fue quemada y desapareció de la tierra.

Roboam, en cambio, mantuvo su autoridad sobre las tribus de Benjamín y de Judá, que le habían permanecido fieles.

El profeta Elías

Había habido ya tres años de sequía, cuando el profeta Elías, por orden de Dios, se presentó ante Ajab.

—¿Causas tú la desgracia de Israel? —le dijo el rey.

—Tú y los de tu casa sois la verdadera ruina de Israel, pues os habéis apartado de los mandamientos del Señor.

—¿No temes que pueda detenerte?

—Eso no haría caer de nuevo la lluvia, Ajab.

—¿Qué es lo que debo hacer entonces?

—Reúne a los sacerdotes de Baal y al pueblo en el monte Carmel.

Reunió pues Ajab al pueblo y a los falsos profetas de Baal y Elías dijo que se prepararan dos altares para hacer sacrificios.

—Rogad a vuestro dios para que haga bajar fuego del cielo y encienda la leña —dijo Elías a los sacerdotes de Baal—. Si lo hace, reconoceré como verdadero a vuestro dios.

Invocaron los falsos profetas a su dios, pero nada ocurrió.

—¡Gritad más fuerte! —se burló de ellos Elías—. Tal vez vuestro dios está un poco sordo o a lo mejor distraído.

Gritaron más fuerte, pero el fuego no bajó del cielo, hasta que tuvieron que darse por vencidos.

Elías, entonces, se colocó ante el otro altar, rezó al Señor y dijo:

—Yavé, Dios de Abraham, que se sepa que tú eres el Dios de Israel, y que todo esto lo hago por mandato suyo.

Y acto seguido bajó fuego del cielo, prendiendo en la leña y en las piedras del altar.

—¡Yavé es el verdadero Dios! —exclamó la multitud.

Y el pueblo se burló de los sacerdotes de Baal, haciéndoles huir hacia el torrente.

Y se cubrió el cielo de nubes y cayó una gran lluvia que puso fin a aquellos largos años de pobreza, que había tenido que soportar el pueblo.

El carro de fuego

Enterada la reina Jezabel por su esposo Ajab de lo que había ocurrido, amenazó de forma terrible al profeta.

Temiendo Elías por su vida, y para evitar que lo detuvieran por orden de la reina, huyó hacia el desierto.

Un ángel enviado por Yavé calmó su hambre y su sed con una torta cocida y una jarra de agua, diciéndole:

—Levántate y come, porque te queda todavía mucho camino por hacer.

Se puso pues en camino, pero al llegar al monte fue sorprendido por un terremoto y una gran tempestad, es-cuchando después la voz de Yavé, que le decía:

—Vuelve por tu camino y nombra a Jazael como rey de Siria y a Jehú, como rey de Israel. Y como profeta y sucesor tuyo, elige a Eliseo.

Elías bajó del monte dispuesto a cumplir lo ordenado por Yavé. Y viendo a Eliseo que araba un campo con una yunta de bueyes, puso su manto sobre él y le dijo:

—¡El Señor lo quiere! ¡Ven conmigo!

Por aquellos tiempos el malvado rey Ajab murió durante un combate contra los sirios, al ser alcanzado en su

carro por las armas de sus enemigos.

Cumplida ya su misión, subió Elías a un monte desde donde fue llevado al cielo por un carro brillante como el fuego.

Eliseo tomó el manto de Elías que éste había dejado caer y golpeó con él las aguas del Jordán que le cerraban el paso, diciendo:

—¿Dónde está Yavé, el Dios de Elías?

Y las aguas se abrieron de un lado y de otro, pudiendo cruzar Eliseo hasta llegar a la otra orilla.

—¡El espíritu de Elías protege a Eliseo! —exclamaron admirados los que vieron aquel prodigio.

Y, saliéndole al encuentro, se arrodillaron ante él.

Tobías y el pez

Muchos reyes reinaron en Israel después de la muerte de Ajab.

Pero en el año 586 antes de Cristo se cumplieron las profecías de Jeremías. En efecto el poderoso Nabucodonosor destruyó Jerusalén y se llevó cautiva a Babilonia a la mayor parte del pueblo judio.

Durante el cautiverio vivía un piadoso israelita llamado Tobit, que se mantuvo obediente a la Ley de Dios.

Tobit, que se había quedado ciego, se acordó un día de que había prestado dinero a un pariente, que vivía lejos y encargó a su hijo Tobías que fuera a cobrar la deuda.

—Busca quien te acompañe —le dijo.

Salió el joven de viaje y encontró a Rafael, que era un ángel.

—Yo iré contigo, pues conozco el camino —dijo Rafael.

Durante el viaje quiso bañarse Tobías en el Tigris, pero salió del río un pez que quería devorarle.

—No temas —le dijo Rafael—. Descuartiza el pez y guarda su hiel.

LLegados a casa del pariente, cobró Tobías el dinero de la deuda y se casó con Sara, la hija del familiar.

—Volvamos a casa de mi padre —dijo Tobías al ángel después de la boda.

—De acuerdo —le respondió su compañero de viaje—, pero lleva contigo la hiel del pez.

Al enterarse de su regreso, salió Tobit al encuentro de su hijo y de su nuera.

—Úntale los ojos a tu padre con la hiel del pez —le dijo el ángel a Tobías.

Hizo el joven lo indicado y el anciano, ante el asombro de todos, recobró la vista.

Quiso Tobit recompesar a Rafael, pero éste le dijo:

—Alabad a Dios, pues yo soy uno de los ángeles del Señor.

Y desapareció entre las nùbes, mientras Tobit y los suyos agradecían las bondades de Yavé, entonando un cántico de alabanza.

La valiente Judit

olofernes, general en jefe del ejército de Nabucodonosor, rey de los asirios, se apoderó de todo el territorio de Cilicia, llegando muy cerca de Jafet.

Luego descendió hasta Damasco, saqueando por el camino sus ciudades y amenazando a los aterrorizados habitantes de Sidón y de Tiro.

Cuando los hijos de Israel que vivían en Judá supieron lo que había hecho Nabucodonosor, tuvieron mucho miedo y empezaron a preocuparse.

—¡Ayúdanos, Señor! —suplicaron a Yavé—. No permitas que nuestras ciudades sean saqueadas ni que sean muertos sus habitantes.

Cuando Holofernes sitió la ciudad de Betulia, los ancianos del gobierno de la ciudad dijeron:

—Si Dios no viene en nuestro auxilio pasados cinco días, tendremos que rendirnos a los asirios.

Judit, una hermosa viuda que era muy temerosa de Dios, riñó a los ancianos por su actitud.

—¿Quiénes sois vosotros para tentar al Señor? —les dijo.

Y Judit, después de ponerse a rezar, se vistió con sus mejores prendas y se encaminó al campamento asirio para entrevistarse con el terrible Holofernes.

El general asirio, atraído por su belleza, la recibió en su tienda y le ofreció un banquete.

Al quedarse dormido Holofernes a causa del mucho vino que había bebido, Judit tomó la espada que estaba colgada en uno de los palos de la tienda y cortó la cabeza del enemigo de su pueblo.

Luego, con aquella prueba de su valerosa acción en sus alforjas, salió del campamento asirio y regresó a la ciudad en compañía de su criada.

—¡Mirad —exclamó ante los suyos—. Aquí tenéis la cabeza de Holofernes, a quien el Señor ha castigado por la mano de una mujer.

Muerto su general, los asirios abandonaron aquella tierra dejando su campamento en manos del pueblo de Israel.

Historia de la bella Esther

Asuero, el rey de Persia se casó con Esther, una joven hebrea que había quedado huérfana y fue recogida por Mardoqueo, un hermano de su padre.

Pero Amán, el favorito del rey Asuero, planeó acabar con los judíos.

La reina Esther, angustiada por la orden que amenazaba con quitar la vida de los hijos de Israel, y en señal de tristeza se quitó sus ricos vestidos y cubrió su cabeza de polvo y ceniza en señal de dolor, pidiendo al Señor:

—Mi pueblo se ha portado mal contra ti, por eso nos has entregado al poder de nuestros enemigos, en castigo de haber adorado a sus dioses. Pero acuérdate de nosotros, Señor;

danos tu protección en este día de tristeza y dame valor.

Por inspiración de Yavé, Esther volvió a ponerse sus mejores vestidos y se presentó al rey su esposo.

—¿Qué deseas? —le preguntó Asuero—. Aunque sea la mitad de mi reino, te será dado.

—Deseo que asistas en compañía de Amán, tu ministro, a una fiesta que he preparado.

Fueron el rey y el ministro al banquete y volvió a preguntar Asuero:

—¿Cuál es tu petición, reina Esther?

—Si he hallado gracia ante ti, salva a mi pueblo de ser destruido.

—¿Quién se propone hacer eso? —preguntó el rey.

—Amán, ese malvado ministro, es nuestro enemigo.— dijo Esther señalando al traidor.

Amán tuvo mucho miedo al rey por lo que decía la reina.

Y enterado Asuero que Amán había preparado una horca para condenar a Mardoqueo y a los principales judíos, dijo el rey:

—Que esa condena sea para el malvado Amán.

Y el rey anuló la orden que sometía a los judíos gracias al valor y a la verdad demostrada por la bella Esther.

La paciencia de Job

abía en tierra de Hus un varón llamado Job, hombre justo, temeroso de Dios y apartado del mal, que tenía grandes posesiones.

—No hay otro como él en la Tierra —dijo Yavé a Satán—; vive apartado del mal y temeroso de la ley divina.

—Yo no lo creo así —replicó Satán—. Quítale su bienestar y sus riquezas y verás cómo te vuelve la espalda.

Permitió Yavé que Satán destruyera las cosechas y el ganado de Job. Luego que sus hijos murieran entre los escombros de una casa que derrumbó el viento del desierto.

Y dijo Yavé a Satán:

—¿Te has fijado en mi siervo Job? Aunque tú actuaste contra él, con mi permiso, para entristecerle, sigue apartado del mal y temeroso de Dios.

Permitió el Señor a Satán que probara a Job con una enfermedad maligna y le cubriera el cuerpo de llagas.

—¿Todavía sigues bendiciendo a Dios? —le preguntó a Job su esposa.

—¿Por qué no, mujer? —respondió Job— ¿No hemos recibido de Dios todos los bienes? ¿Por qué no vamos a recibir también los males?

Unos amigos visitaron a Job en el estercolero en que estaba acostado para hacerle compañía y consolarle. Por lo que comentaban, decían que los sufrimientos son siempre el castigo de un mal cometido.

—Estoy seguro de mi inocencia —dijo Job—, pero yo no puedo juzgar, como si fuera un juez, la voluntad divina.

Yavé, para premiar la fidelidad de su siervo, le devolvió la salud y aumentó hasta el doble todas las riquezas y bienes que antes tenía.

Job fue padre de catorce hijos y tres hijas, y vivió después de lo ocurrido ciento cuarenta años, siendo muy feliz en su larga vida.

El sueño de Nabucodonosor

urante el cautiverio de los judíos en Babilonia, el rey Nabucodonosor tomó a su servicio a cuatro jóvenes israelitas.

Eran éstos cuatro muchachos: Daniel, Ananías, Misael y Azarías.

El año doce de su reinado tuvo Nabucodonosor un extraño sueño que le inquietó y llenó de preocupación.

Llamó a todos los sabios y astrólogos de su Corte para que lo interpretaran, pero ninguno supo hacerlo.

Daniel, inspirado por Dios, solicitó audiencia a Nabucodonosor y, cuando estuvo en su presencia, le dijo:

—Sé que tu ánimo está preocupado por un sueño que has tenido y que no consigues recordar.

—Así es —respondió el monarca.

—Tú, oh rey, soñaste que estabas viendo una gran estatua. La cabeza de esa estatua era de oro puro, sus brazos y su pecho de plata, su vientre y sus caderas de bronce, sus piernas de hierro y sus pies eran parte de hierro y parte de barro.

—¡Es cierto! —recordó entusiasmado Nabucodonosor.

—Una piedra destrozó la estatua y la hizo pedazos. Mientras la piedra que había golpeado se hizo cada vez más grande, como una gran montaña, hasta que llenó toda la tierra.

—Ese fue el sueño —admitió el rey—. Pero, ¿puedes decirme lo que significa?

—Significa —contestó Daniel—, que después de tu reinado habrá otros. Todos serán destruidos —contestó Daniel— y, sobre sus cenizas, Dios establecerá su reino.

Nabucodonosor, admirado de la sabiduría de Daniel, le llenó de honores y le nombró gobernador de la provincia de Babilonia, diciendo:

—En verdad que vuestro Dios es el Dios de los dioses y el Señor de los reyes.

Tres jóvenes en un horno

Nabucodonosor, olvidando el significado de su sueño, volvió a rezar a otros dioses e hizo levantar una estatua de oro para que todo el pueblo la adorara.

—Cuando suenen las trompetas arrodillaos ante la estatua del dios. Todo aquel que desobedezca mi mandato, será arrojado a un horno encendido.

Como lo jóvenes israelitas Ananías, Misael y Azarías no quisieron adorar la estatua, el rey ordenó que fueran arrojados a las llamas.

—Aceptamos tu castigo —dijeron los tres israelitas— porque nunca nos arrodillaremos ante tus dioses ni adoraremos la estatua que tú has hecho erigir.

Una vez dentro del horno, los tres jóvenes, con gran asombro de sus guardianes, se pasearon en medio de las llamas sin sufrir el menor daño, rezando y bendiciendo al Señor.

Enterado el monarca de aquel hecho maravilloso dispuso que los tres jóvenes fueran sacados del horno.

—Bendito sea el Dios —dijo el rey— que ha librado a sus fieles del fuego. Todo aquel que hable mal del Dios de Israel será martirizado y su casa convertida en un vertedero de basura.

Al cabo de algún tiempo, Nabucodonosor tuvo otro sueño que, al igual que el primero, le causó un gran espanto.

Sólo Daniel supo interpretarlo.

—El árbol que has visto en tu sueño —le dijo a Nabucodonosor— eres tú mismo. Las ramas cortadas, los frutos por el suelo y el tronco sujeto con cadenas quiere decir que serás apartado de entre los hombres y que tu reino sólo volverá a echar raíces cuando reconozcas al verdadero Dios.

Todo se cumplió, pues Nabucodonosor, a causa de la locura, fue apartado de la compañía de los hombres, y vivía solo en el campo. Su cuerpo se empapó con el rocío y comió hierba como los bueyes.

Cuando arrepentido, recobró de nuevo la razón, alzó sus ojos al cielo y bendijo al Altísimo, quien le devolvió la grandeza y la gloria de su reino.

La cena de Baltasar

Cuando el rey Baltasar ocupaba el trono de Babilonia dio, en cierta ocasión, un gran banquete a mil de sus príncipes y cortesanos.

Excitado por la bebida, mandó Baltasar que llevaran a su presencia los vasos de oro y plata que Nabucodonosor, su padre, había robado del templo de Jerusalén.

—Bebed en estos vasos tan preciosos —dijo invitando a los comensales del banquete.

Los príncipes y los cortesanos así lo hicieron y bebieron el vino en los vasos sagrados. Mientras, en medio de su embriaguez, alababan a sus falsos dioses.

En aquellos momentos, en medio del festín apareció en la pared una

mane
técel

mano misteriosa que escribió unas extrañas palabras.

—¿Qué significa esto? —preguntó el rey Baltasar, inquieto y lleno de temor.

Pero ninguno de los sabios y adivinos que hizo llamar pudo descifrar la escritura ni explicar al rey su significado.

La reina, ante los gritos del rey y de los invitados, entró en la sala del banquete:

—Llamad a Daniel —dijo la reina cuando vio lo que ocurría—. Es el israelita a quien tu padre nombró jefe de magos y astrólogo, ya que por su ciencia e inteligencia era el mejor de todos. Llámale porque él te dará, seguramente, la interpretación de estas misteriosas palabras.

Se retiraron los fracasados magos de la Corte. Y Baltasar ordenó que fueran en busca de Daniel y lo condujeran al lugar donde se estaba celebrando aquella cena.

Ya en su presencia, dijo el rey:

—He oído de ti que puedes resolver las dudas y aclarar los enigmas. Si lees esta escritura y me das su interpretación, serás vestido de púrpura y colmado de honores en mi Corte.

—No quiero honores, pero te interpretaré ese misterio. Las palabras MANE, TÉCEL Y FARES que aquí están escritas significan que Dios ha puesto fin a tu reinado, que has hecho malas acciones y que tu reino, gobernado por Darío, será dividido entre los medos y los persas.

Daniel y los leones

quella misma noche murió Baltasar y Darío, rey de los medos, se apoderó del reino.

Conocedor Darío de la sabiduría de Daniel no sólo le mantuvo en la Corte, sino que además lo distinguió nombrándolo para uno de lo cargos más importantes de todo su imperio. Demostraba así a Daniel el mucho afecto y admiración que le tenía.

Pero los cortesanos, envidiosos de su cargo e influencia acusaron a Daniel de no respetar el decreto que obligaba a adorar los falsos dioses. El rey se vio así forzado por la ley dictada por él mismo a condenar al israelita a ser arrojado a la cueva de los leones. Una vez encerrado allí el condenado tapiaron con una gruesa piedra la entrada que daba paso al foso de las fieras.

Aquella noche Darío no pudo comer nada, ni tampoco dormir porque estaba muy triste al verse obligado a condenar a Daniel muy a pesar suyo.

Muy de mañana, se dirigió al foso de los leones a ver lo que había ocurrido y, al hacer retirar la piedra, tuvo una gran alegría al comprobar, lleno de asombro, que el profeta estaba ileso.

Muy contento hizo sacar a Daniel de aquel foso, a la vez que le dijo admirado:

—¿Cómo es posible que no hayas sufrido ningún daño?

Daniel le respondió:

—No he hecho nada malo, ni contra Dios, ni contra ti, mi rey. Por eso mi Dios ha enviado a uno de sus ángeles para que cerrara la boca de los leones y no me hicieran daño.

Darío puso en libertad a Daniel, al tiempo que ordenó fueran condenados en su lugar aquellos envidiosos que le habían acusado. También dictó un decreto para que en todo su imperio se respetara al Dios de Daniel.

Gracias a su sabiduría Daniel volvió a ocupar importantes cargos durante el gobierno de Darío y en el de su sucesor, el rey persa Ciro, que le siguió en el trono.

Historia de Jonás y la ballena

Durante el cautiverio de los israelitas en Babilonia muchos profetas anunciaron a los hijos de Israel su futura liberación.

Uno de ellos fue Jonás, a quien dijo Yavé:

—Ve a Nínive, la ciudad grande, y anuncia a sus habitantes que su maldad me preocupa.

Pero Jonás tuvo miedo de enfrentarse a las gentes de Nínive, pues obraban mal y adoraban a falsos dioses.

Desoyendo al Señor se embarcó en una nave que se dirigía a Tarsis.

Estando la embarcación en alta mar, Yavé levantó una violenta tempestad.

Los marineros, asustados al saber que Jonás iba huyendo de su Dios, le echaron la culpa de su desgracia.

—Arrojadme al mar —dijo Jonás— y el mar se calmará pues yo sé que esta gran tormenta ha estallado por mi culpa.

—Tienes razón —replicaron los marineros—. ¡Que no muramos nosotros a causa de este hombre!

Y arrojaron al mar a Jonás, y el mar se calmó inmediatamente, tranquilizando su furia.

Dispuso Dios que un gran pez se tragara a Jonás y que le retuviera en su vientre durante tres días y tres noches.

Arrepentido Jonás de su cobardía, llamó a Yavé, lleno de angustia.

Y Yavé ordenó a la ballena que se acercara a la costa y que dejara al profeta en la playa, cosa que así hizo.

Cumplió esta vez Jonás el mandato del Señor y se dirigió a Nínive, la ciudad pecadora e idólatra para decir a sus habitantes:

—¡Arrepentíos de vuestras culpas, pues, si no lo hacéis, de aquí a cuarenta días Nínive será destruida.

Y las gentes de la ciudad creyeron en Dios e hicieron ayuno y penitencia y se vistieron modestamente desde el más grande al más pequeño.

El regreso

staba cerca ya el fin del cautive-rio de los israelitas en Babilonia. Por eso Yavé, por boca del profeta Amós llenó de esperanza los corazones de los hijos de Israel y dijo:

—Yo trasladaré otra vez a los cauti-vos de mi pueblo; construirán de nuevo sus ciudades destruidas y las habitarán; plantarán viñas y beberán su vino; cultivarán huertos y comerán sus frutos.

»Los plantaré en su tierra, y como si fueran árboles no serán ya más arran-cados de ella.

Y así una gran parte de los israelitas emigrados regresaron a su tierra

cuando Ciro, el rey persa se proclamó rey de Babilonia.

Ciro devolvió a los judíos los vasos sagrados robados en Jerusalén por Nabucodonosor y les permitió levantar un nuevo templo.

Pero el pueblo se apartó otra vez de los caminos ordenados por el Señor y Palestina cayó bajo el dominio de los macedonios, cuando el imperio persa fue conquistado por Alejandro el Magno.

Mientras, en Occidente, se había formado un nuevo imperio: el romano.

Roma, después de la conquista de algunos pueblos de Europa y África, envió sus legiones a Oriente.

El año 37 antes del nacimiento de Cristo, el emperador romano Octavio Augusto colocó en el trono de Judea a Herodes, llamado el Grande, pero sometido a las órdenes de Roma.

Aunque Herodes restauró el templo y embelleció Jerusalén con grandes monumentos, gobernó como un tirano y tuvo que obedecer, a su vez, los mandatos de los romanos.

Un matrimonio muy anciano

Después de la conquista de Jerusalén por las legiones de Pompeyo, la que había sido tierra prometida para los judíos se convirtió en una provincia romana.

Los hijos de Israel, sin fuerzas para rebelarse contra los nuevos invasores, pusieron todas sus esperanzas en el Mesías que había de liberarles según anunciaban los profetas.

Herodes el Grande, que gobernaba en nombre de Roma, era tan odiado por su manera de mandar como lo era el mismo gobernador enviado por César Augusto.

En aquellos tiempos, un buen sacerdote llamado Zacarías fue visitado por un ángel del Señor, que después de saludarlo, le dijo:

—Tu esposa Isabel tendrá un hijo y le llamarás Juan.

—¿Cómo puede ser eso? —se extrañó el anciano Zacarías—. Mi mujer y yo somos ya muy viejos para tener hijos.

—Para Dios no hay nada imposible —respondió el ángel—. En castigo por haber dudado, te quedarás mudo hasta el día que se cumpla lo que acabo de anunciarte.

Zacarías e Isabel tuvieron el hijo anunciado por el enviado del Señor y el viejo sacerdote, como no podía hablar, escribió en una tablilla: «Juan ha de ser su nombre.»

Zacarías recobró inmediatamente el habla, cumpliéndose así lo que había anunciado el ángel.

Juan, el recién nacido, iba a tener la misión de preparar el camino del Mesías y de bautizar en las aguas del Jordán a los que creían en él

Fue por eso que, según el deseo del Señor, el hijo del anciano Zacarías y de Isabel, que era prima de María, fue llamado Juan el Bautista.

Aquí acaba el Antiguo Testamento

Los cuatro evangelistas

as historias que se han explicado hasta aquí se hallan en la Sagrada Biblia, (o Libro de los libros), inspirada por Dios y constituyen su primera parte, conocida por Antiguo Testamento.

La segunda parte de esta famosa obra es el Nuevo Testamento, y en ella se nos explica la vida de Jesús.

Muchos de los hechos se han conocido porque desde un principio unos los explicaban a otros, hasta que años más tarde, cuatro autores, llamados evangelistas, los recogieron por escrito. Ellos van a ser, pues, como unos historiadores de lo que vamos a leer a continuación sobre la vida de Jesús.

Estos cuatro evangelistas se representan por símbolos. Así, san Mateo es un ángel y en ocasiones un hombre; un león identifica a san Marcos; la figura de un toro corresponde a san Lucas; y san Juan toma la forma de un águila.

Actividades

PALABRAS CLAVE

▶ **Profetas:** Eran hombres que dedicaban su vida a predicar la palabra de Dios y tenían el don de anunciar acontecimientos futuros.

Profecías: Comunicación de un acontecimiento futuro por inspiración de Dios.

▶ **Imperio Romano:** Roma extendió su poder por todo el Mediterráneo. Entre otros países conquistó Judea, y de nuevo los israelitas cayeron bajo el dominio de una potencia extranjera.

▶ **Idolatría:** Adoración de ídolos o falsos dioses.

PERSONAJES

Salomón: Rey de Israel famoso por su gran sabiduría. Durante su reinado se construyó el templo de Jerusalén y en su interior se guardó el Arca de la Alianza.

Elías: Profeta perseguido por denunciar que los reyes de Israel se apartaban de la ley de Dios y practicaban la idolatría.

Judit y Ester: Estas dos mujeres judías ayudaron a liberar a su pueblo con su valentía y arrojo.

Job: Personaje famoso por su gran paciencia y confianza en Dios. A pesar de las calamidades y sufrimientos que padeció, jamás dejó de creer en la palabra de Dios.

DÓNDE OCURRIÓ

Localiza en el mapa los lugares donde ocurrieron estos acontecimientos:

- En el **monte Carmelo**, el profeta Isaías desafió a los falsos profetas de Baal.
- El profeta Tobías se quiso bañar en el **río Tigris** y un pez se lo impidió.
- Los israelitas permanecieron esclavos en **Babilonia** durante sesenta años.
- Holofernes, jefe del ejército de Nabucodonosor, llegó hasta **Damasco** y luego amenazó a los habitantes de **Tiro** y **Sidón**.
- El profeta Jonás fue enviado por Dios a **Nínive** para predicar el perdón de Dios y el arrepentimiento.

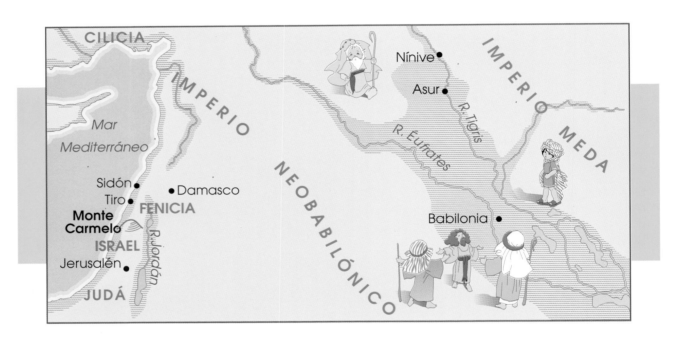

Recuerda que...
- Dios envió a los profetas para que predicaran su palabra y los israelitas cumplieran los mandamientos.
- La cautividad de los judíos terminó cuando Ciro se proclamó rey de Babilonia.
- Judea fue conquistada por los romanos 63 años antes del nacimiento de Jesús.

LA INFANCIA DE JESÚS

6

La Anunciación a María

Vivía en Nazaret una joven llamada María, prometida con un humilde carpintero, llamado José, de la familia de David.

Cierto día, mientras estaba en su casa, esta virgen recibió la visita del arcángel san Gabriel, quien la saludó con estas palabras:

—El Señor está contigo. No temas, porque has ganado la gracia de Dios, y vas a ser madre de un hijo, a quien, al nacer, pondrás por nombre Jesús.

—¿Cómo puede ser eso —dijo María—, pues yo no me he relacionado con ningún hombre?

—El Espíritu Santo vendrá sobre ti —respondió el arcángel—, y por eso el hijo que va a nacer de ti será santo y será llamado Hijo de Dios.

—Yo soy la esclava del Señor —respondió humildemente María—. Hágase en mí según lo que tú dices.

Algún tiempo después fue María a visitar a su prima Isabel, que también iba a tener un hijo. Al llegar a su presencia ésta le saludó, diciendo:

—¡Bendita tú eres entre todas las mujeres, y bendito el hijo que estás esperando!

Después de vivir cierto tiempo con su prima Isabel, hasta que nació Juan, María regresó a Nazaret. Allí explicó a José, su esposo, que esperaba un hijo.

José quiso rechazarla como esposa, pero el ángel del Señor se le apareció en sueños y le dijo:

—No temas recibir en tu casa a María, pues ha concebido esta criatura por obra del Espíritu Santo. Dará a luz un hijo, a quien pondrás por nombre Jesús, porque salvará al pueblo de todos sus males.

Transcurrido algún tiempo, el emperador de Roma, César Augusto, deseando saber el número de habitantes que había en su gran imperio, hizo que los pregoneros leyeran un decreto para que todos se dirigieran a su pueblo o ciudad de origen. Allí se apuntarían en las listas de habitantes, cada uno en su ciudad.

José, en cumplimiento de la orden del emperador se preparó para el viaje; pidió un asno prestado a uno de sus vecinos y salió de la ciudad de Nazaret, donde vivían, para dirigirse a Belén, ciudad de David, de donde era su familia.

El viaje fue muy fatigoso, especialmente para María.

Cuando llegaron a Belén, en Judea, José buscó un lugar donde su esposa pudiera descansar de las fatigas del camino. Pero como la ciudad estaba llena de gentes venidas de todas partes para cumplir allí el edicto ordenado de empadronamiento, José y María no pudieron encontrar alojamiento.

Al anochecer, José todavía estaba llamando en vano a las puertas de las últimas posadas que les quedaban por preguntar.

El Nacimiento del Niño Jesús

M i esposa está enferma y a punto de dar a luz —dijo José en la última posada a la que llegó con María—. Dadnos sitio, aunque sólo sea por una noche.

—No es posible —le respondieron—. Todo está lleno.

—Tenemos bastante con un rincón, en cualquier lugar —insistió José.

—Buscad en otra parte —dijo el dueño de la posada al observar el pobre aspecto de quienes pretendían albergarse en su casa—; no hay sitio para vosotros, ya os lo he dicho.

Y sin compasión les cerró la puerta.

José y su esposa recorrieron entonces las afueras de la ciudad y se detuvieron en uno de los establos donde solía guardarse ganado.

Y allí, en aquel humilde lugar, bajo las estrellas, en un pesebre, junto a una mula y un buey, nació el Hijo de Dios, el esperado Mesías.

José buscó unas ramas para encender una hoguera con cuya leña, al arder, pudieron calentarse la madre y el niño.

María envolvió al pequeño en unos pobres pañales y colocó a su hijo sobre la paja del pesebre.

En el cielo brillaron con más fuerza las estrellas y se escucharon en el aire como un ruido de batir de alas y cantos de ángeles.

Pero el mundo no sabía todavía que había nacido el Redentor y que aquella noche única era distinta a las demás.

Era la noche radiante y luminosa de la primera Navidad.

Adoración de los pastores

Cerca de la cueva donde había nacido el Redentor había aquella noche unos pastores, que estaban guardando sus rebaños.

Algunos dormían, envueltos en sus zamarras y otros hablaban de sus cosas, sentados alrededor de una ho-

De pronto envolvió a los pastores un gran resplandor y se presentó ante ellos un ángel, cuya aparición les llenó de asombro y de temor.

—No temáis —les dijo el ángel—, pues vengo a anunciaros una noticia que os llenará de alegría.

Los que antes dormían y los que vigilaban, calmaron en seguida su miedo y escucharon al enviado del cielo, quien añadió:

—En Belén, la ciudad de David, os ha nacido hoy un Salvador, que es Cristo Señor. Encontraréis al Niño envuelto en pañales y acostado en un pesebre.

Y, al instante, un coro de ángeles rompió la quietud de la noche haciendo oír un cántico de alabanza.

—Gloria a Dios en las alturas y paz en la Tierra a los hombres de buena voluntad.

Cuando el ángel se hubo marchado y todo volvió a quedar en silencio, los pastores, todavía confusos, se preguntaron unos a otros:

—¿Qué hacemos?

—Vayamos a Belén —propuso uno de los más decididos— a ver esa maravilla que nos han anunciado.

Partieron los pastores deprisa y, llegados al portal, encontraron a María, José y al Niño acostado en el pesebre, tal como había dicho el ángel.

Y todos cariñosos ante el recién nacido, le ofrecieron sus humildes regalos y le adoraron.

A su regreso iban diciendo a todos los que encontraban por el camino:

—¡Ha nacido el Mesías! ¡Nosotros lo hemos visto y lo hemos adorado!

Los Tres Reyes Magos

Jesús nació, pues, en Belén de Judá bajo el gobierno del rey Herodes. Días más tarde llegaron a Jerusalén, procedentes de Oriente, tres reyes magos cada uno con su respectivo séquito y preguntaron:

—¿Dónde está el rey de los judíos, que acaba de nacer?

Pero nadie supo darles una explicación sobre ello.

Enterado Herodes de la llegada de los magos y de las preguntas que ha-cían a la gente, les llamó a su presencia y les dijo:

—Nada sé exactamente del nacimiento de ese rey, pero los sacerdotes y escribas me han informado que, según dicen las Escrituras, el Mesías ha de nacer en Belén.

Y añadió a continuación intrigado:

—¿Cómo habéis llegado hasta aquí, viajando desde vuestras lejanas tierras?

—Nos ha guiado una estrella —respondieron.

—Yo soy el único rey —dijo Herodes—, pero si es cierto que el Mesías ha nacido, buscadle. Y cuando lo halléis, venid en seguida a comunicármelo, para que también yo pueda ir a adorarle.

Pero sus palabras eran falsas, pues lo que Herodes pretendía era saber dónde estaba el niño al que consideraba un rival que podía quitarle el trono algún día, y hacerlo desaparecer.

Gaspar, Melchor y Baltasar, que así se llamaban los tres reyes magos, prometieron darle noticias del recién nacido y partieron hacia Belén guiados por la estrella, que apareció de nuevo en el cielo.

Llegados al portal, la estrella se detuvo sobre él.

Llenos de alegría, los tres magos vieron al Niño con María, su madre. De rodillas le adoraron y le ofrecieron oro, incienso y mirra, que en aquel tiempo eran preciosos regalos.

Pero advertidos por un ángel de las malvadas intenciones del rey Herodes, Melchor, Gaspar y Baltasar regresaron a sus lejanas tierras de Oriente por otro camino.

La huida a Egipto

Cuando Herodes se dio cuenta de que se habían burlado de é! los reyes magos, se puso furioso y decidió buscar al Niño por su cuenta.

Por eso el ángel del Señor se apareció en sueños a José para avisarle y le dijo:

—Levántate, toma al Niño y a su madre y huye a Egipto. Quédate allí hasta que te avise, porque Herodes va a buscar al recién nacido para quitarle la vida.

Obedeció José las indicaciones del ángel y partió hacia las tierras de Egipto con el Niño y su madre.

Mientras, Herodes, dispuesto a terminar con la amenaza de aquel Mesías que, según creía, podía un día quitarle el poder, ordenó a sus soldados que mataran a todos los niños que hubieran nacido en aquellos días en Belén y sus alrededores.

Y así lo hicieron. Fueron víctimas inocentes de aquel cruel tirano todos los recién nacidos en Belén y en los pueblos cercanos.

La Sagrada Familia, o sea, María, Jesús y José vivían en el país del Nilo hasta que el ángel, en sueños, dijo de nuevo a José:

—Herodes ha muerto y ya nada tenéis que temer. Toma al Niño y a su madre y vuelve a la tierra de Israel.

Tomó José al pequeño y a María y, obediente a la orden del Señor, regresó a Nazaret.

Y Jesús fue creciendo en edad y a la vez iba aprendiendo, ayudando a José en la pesada labor de su oficio de carpintero.

En el hogar de la Sagrada Familia reinaba la paz y el amor, porque aunque eran humildes y sencillos, la gracia de Dios había entrado en la casa.

Jesús vivía en Nazaret, en la región de Galilea, para que se cumpliera la antigua profecía que había anunciado:

«El Salvador será llamado el Nazareno.»

El feliz encuentro

Obedientes a la Ley religiosa, los padres de Jesús iban cada año a Jerusalén, durante la festividad de la Pascua, para dar gracias a Dios por los beneficios recibidos.

Al cumplir los doce años, Jesús acompañó también a José y María en este viaje.

Cumplidas las ceremonias religiosas, emprendieron el camino de regreso a Nazaret, junto con otros parientes y conocidos que habían ido también a Jerusalén lo mismo que ellos.

Por fin, al cabo de tres días, lo encontraron en el templo. Estaba sentado en medio de los sabios ancianos doctores de la Ley, hablando con ellos, oyéndoles y preguntándoles.

—¿Cómo es posible que un niño de su edad —se extrañaron algunos— puede hablar con tanta sabiduría y conocimiento de temas tan importantes?

—Hijo —le habló María al verle—, ¿por qué has hecho esto con nosotros? Te hemos estado buscando preocupados.

Pero Jesús, sin que sus padres lo advirtieran, se quedó en Jerusalén.

Cuando José y María se dieron cuenta de que faltaba el Niño le buscaron entre los parientes y amigos de la caravana. Al no hallarle, se volvieron atrás angustiados, para encontrarle.

Cada vez más inquietos y preocupados, fueron preguntando por Jesús, sin que nadie pudiera decirles nada de él.

—¿Por qué me buscabais? —respondió Jesús—. ¿No sabíais que es necesario que me ocupe de las cosas de mi Padre?

Ellos de momento no entendieron lo que quería decir con eso. Jesús uniéndose a ellos, regresó a Nazaret, y les obedeció en todo. Su madre conservaba todos estos detalles en su corazón.

Jesús siguió creciendo en sabiduría, en edad y en gracia ante Dios y ante los hombres en espera de empezar sus enseñanzas para salvarnos.

Actividades

PALABRAS CLAVE

Antiguo Testamento: Parte más antigua de la Biblia, formada por varios libros. Narra la creación del mundo y la historia del pueblo de Israel hasta poco antes del nacimiento de Jesús.

Nuevo Testamento: Parte más moderna de la Biblia. La forman 27 libros. Los cuatro más importantes se llaman evangelios y cuentan la vida de Jesús. Fueron escritos por san Mateo, san Lucas, san Marcos y san Juan.

Anunciación: Visita del arcángel san Gabriel a María para comunicarle que sería madre de Jesús, el Hijo de Dios.

Mesías: Nombre que daban los israelitas al libertador anunciado por los profetas. Por eso, los seguidores de Jesús le llamaron Mesías.

Redentor: Jesús es llamado el Redentor porque vino al mundo a redimir a todos los hombres del pecado.

PERSONAJES

María y José: Personas buenas que Dios escogió para que fueran los padres de Jesús en la Tierra. María era una joven virgen judía. José, carpintero de oficio, era el esposo de María. ▶

Jesús: El Hijo de Dios en la Tierra, el Mesías, el Redentor. Nació en un humilde portal de Belén y los primeros en visitarle fueron unos pastores. ▶

Los Reyes Magos: Personajes que llegaron de Oriente para adorar al Mesías y ofrecerle ricos regalos (oro, incienso y mirra). No se les llama magos porque hacían «magia», sino porque eran hombres muy sabios. Sus nombres eran: Melchor, Gaspar y Baltasar.

DÓNDE OCURRIÓ

Observa este mapa y busca los lugares en que ocurrieron los siguientes episodios de la vida de Jesús:

- Jesús nació en **Belén** de **Judea**.
- Cuando tenía doce años viajó con sus padres de **Nazaret** a **Jerusalén**.
- Jesús fue bautizado por Juan el Bautista en el **río Jordán**.

- Convirtió el agua en vino en unas bodas celebradas en **Caná**.
- Jesús anduvo sobre las aguas del **mar de Galilea**
- Jesús resucitó a Lázaro en **Betania**.

Recuerda que...

- Dios envió a su propio Hijo para salvar a su pueblo.
- Para los cristianos, el nacimiento de Jesús es un momento muy importante en la historia de la humanidad.
- Después de la muerte de Herodes el Grande, Jesús vivió con sus padres en Nazaret.

El Mesías

7

El bautismo de Jesús

En tiempos del emperador Tiberio, era gobernador de Judea el romano Poncio Pilato y tetrarca de Galilea el judío Herodes Antipas, hijo de Herodes el Grande. En esa época empezó a predicar por toda la región del Jordán el hijo de Zacarías e Isabel, aquél a quien pusieron de nombre Juan el Bautista.

Juan animaba a las gentes que le escuchaban, diciendo:

—Haced penitencia y no andéis presumiendo que sois hijos de Abraham. Porque al igual que el árbol que no da fruto se corta y se echa al fuego, también vosotros si hacéis el mal, pereceréis.

—¿Quién eres tú para hablarnos de esta manera? —le preguntaron—. ¿Acaso eres el Mesías prometido?

—No —respondió Juan—. Yo os bautizo con agua, pero llegará otro más fuerte que yo, a quien no soy digno de desatar la correa de sus sandalias, que os bautizará en el Espíritu Santo.

Jesús a la edad de treinta años, se dispuso a empezar su predicación pública.

Un día fue Jesús al encuentro de Juan, pidiéndole que le bautizara.

—¿Tú vienes a mí para esto? —se extrañó el Bautista—. Soy yo, verdaderamente, quien debe ser bautizado por ti.

—Déjame hacerlo así —respondió Jesús—, pues conviene que todo se haga por orden y justicia, según lo escrito por los profetas.

Y entrando en el agua, Juan le bautizó. En aquel instante se abrieron los cielos en medio de un gran resplandor que dejó a todos extrañados, y se vio descender al Espíritu de Dios en forma de paloma que se puso sobre Jesús, mientras se oía una voz que decía:

—Éste es mi hijo, muy amado, del que estoy muy satisfecho y complacido.

Y Jesús, lleno del Espíritu Divino, se marchó de la orilla del Jordán, y se dirigió al desierto.

Tentaciones de Jesús

Antes de empezar Jesús su predicación, permaneció ayunando en el desierto durante cuarenta días.

Viendo el diablo que el hambre le había debilitado, quiso tentarle.

Estaba Jesús en lo alto de una montaña desolada, rocosa y sin vegetación, cuando le dijo el demonio:

—Tú puedes saciar tu hambre si quieres. ¿Ves estas piedras? Si eres Hijo de Dios, di que se conviertan en panes y podrás comer.

Y le respondió Jesús:

—Está escrito: «No sólo de pan vive el hombre, sino de toda palabra que sale de la boca de Dios.»

Pero el diablo, empeñado en hacerle caer en la tentación, le condujo hasta la ciudad santa de Jerusalén, y poniéndole sobre lo más alto, le dijo:

—Si eres Hijo de Dios, tírate. Nada debes temer, pues está escrito: Dios encargará a sus ángeles que te tomen en sus manos para que no tropiece tu pie contra las piedras.

—Y también está escrito —le replicó Jesús—: «No tentarás al Señor tu Dios.»

Tampoco en esta ocasión se dio el demonio por vencido. Llevó a Jesús a un monte muy alto, y mostrándole todos los reinos del mundo murmuró a su oído:

—Todo esto te daré, pues yo puedo mandar en ellos y puedo dárselo a quien yo quiera, si te arrodillas ante mí y me adoras.

—¡Apártate, Satanás! —le respondió Jesús—. Está escrito: «Al Señor tu Dios adorarás y a Él sólo le rezarás tus oraciones.»

El diablo, al ver que había fracasado, huyó de lo alto de la montaña, mientras los ángeles llegados del cielo se acercaron a Jesús y le servían de comer.

Terminó así la estancia de Jesús en el desierto. Desde allí se dirigió a Cafarnaum para empezar a predicar.

La pesca milagrosa

esde entonces empezó a predicar, diciendo:

—Arrepentíos, porque se acerca el reino de Dios.

Caminando un día junto al mar de Galilea, vio a dos hombres: Simón, al que más adelante llamará Pedro, y Andrés, su hermano, que se disponían a echar su red al mar, pues eran pescadores.

—Venid conmigo —les dijo Jesús— y os haré pescadores de hombres.

Y Pedro y Andrés, dejando al instante sus redes le siguieron.

Algo más adelante Jesús vio a otros dos hermanos: Santiago y Juan, que también estaban preparando sus redes.

—Seguidme —les dijo.

Y ellos, abandonando sus redes de pesca, fueron tras Él.

En cierta ocasión iba Jesús a predicar en la orilla del lago de Genesaret. Subió a una barca y, apartándola un poco de tierra, comenzó a hablar a la multitud.

Al terminar de hablar, dijo a Simón y a los que tripulaban la barca:

—Remad mar adentro y echad vuestras redes para la pesca.

—Maestro —habló Simón—, toda la noche hemos estado trabajando y no hemos pescado nada. Pero como tú nos lo dices, echaremos las redes al agua.

Hiciéronlo así y capturaron tantos peces que la barca casi se hundía y las redes se rompían antes de llegar a la playa.

—¡Venid a ayudarnos! —gritó Simón a los pescadores de las otras barcas—. Hay pesca para todos.

Y lleno de asombro y extrañado por aquella pesca milagrosa, se echó a los pies de Jesús, diciendo.:

—Señor, apártate de mí, que soy hombre débil.

—No temas —le respondió Jesús—: de ahora en adelante, serás pescador de hombres.

Los doce apóstoles

Cierto día, Jesús subió al monte a rezar en compañía de sus primeros discípulos.

Después de pasar allí la noche, al amanecer escogió a doce de entre los que le habían acompañado, a quienes llamó apóstoles y que nos transmitieron sus enseñanzas.

El Maestro, nombre con el que conocían entre ellos a Jesús, había dicho a Simón, el pescador:

—Hasta ahora has sido Simón, hijo de Jonás, pero a partir de ahora te llamarás Pedro, que significa «piedra».

Formaban parte de los doce elegidos, Andrés el hermano de Pedro; Santiago y Juan, Felipe y Bartolomé, Mateo y Tomás, otro Santiago, el de Afeo, Simón el Celador, Judas de Santiago y por último Judas Iscariote, quien más tarde fue el traidor.

Cuando todos bajaron del monte se les unió en el llano una gran muchedumbre, reunida allí para escuchar a

Jesús y pedirle que les curara de sus enfermedades.

Jesús curó a muchos enfermos. Toda la gente le buscaba para tocarle, porque salía de Él como una virtud que los curaba a todos.

Un sábado, en la sinagoga, se presentó ante Jesús un hombre que tenía una mano deforme y paralizada.

Los escribas y fariseos, buscando un motivo para acusarle, se preguntaron si sería capaz de curarle el sábado, día en que su religión les prohibía hacer nada.

—¿Está permitido hacer el bien o hacer el mal en sábado? ¿Se puede salvar un alma o se debe dejar?

Y añadió, dirigiéndose al enfermo:

—Extiende tu mano.

El hombre hizo lo que Jesús le ordenaba y su mano quedó curada.

Los escribas y fariseos, extrañados y avergonzados, se enfadaron con el Maestro.

La venganza de Herodes

El tetrarca (o rey) judío Herodes Antipas, hijo del tirano que había ordenado la persecución de los Santos Inocentes era tan cruel y despiadado como su padre.

Juan el Bautista le había llamado la atención públicamente, por su mala conducta y, principalmente, por el hecho de haberse casado con Herodías, que era la mujer de su hermano.

—No te es permitido hacerla tu esposa —le dijo Juan el Bautista.

Temeroso Herodes de la reacción del pueblo ante las palabras de Juan,

ordenó detenerlo y encerrarlo en la cárcel.

—No es suficiente con eso —le dijo Herodías al rey—. Tienes que condenarle.

—No me atrevo —respondió Herodes—, pues la gente lo tiene por un profeta.

Al llegar el cumpleaños de Herodes, Salomé, la hija de Herodías y de su anterior marido, interpretó una mágica danza ante todos en la fiesta.

Admirado por el baile de la muchacha le dijo el tirano a Salomé.

—Pídeme lo que quieras, que te lo concederé muy a gusto.

Salomé, aconsejada por su madre, que odiaba a Juan, respondió:

—Quiero que condenes a muerte a Juan el Bautista.

—¿Por qué me pides eso? —se entristeció Herodes, que admiraba la valentía de Juan—. Puedo darte collares de perlas, anillos de oro y pulseras de plata.

—Quiero lo que te he pedido —insistió Salomé.

Entonces Herodes, obligado por la palabra dada, ordenó la muerte de Juan el Bautista, complaciendo así a Salomé.

Algunos discípulos de Juan lo sepultaron y fueron luego a comunicarle a Jesús la terrible noticia de lo que había ocurrido en el palacio de Herodes.

Las bodas de Caná

Jesús, María, su madre, y algunos de sus discípulos fueron invitados a una boda, en Caná de Galilea.

La fiesta de la boda transcurría con la mayor alegría, pero a la mitad del banquete la madre de Jesús se dio cuenta de que se había terminado el vino.

—No tienen vino, hijo mío —dijo, preocupada porque los novios quedarían mal ante sus invitados.

—Mujer —respondió Jesús—, ¿qué tenemos que ver tú y yo en eso?

Pero María dijo a los criados:

—Haced lo que Él os diga.

Jesús, haciendo lo que le pedía su bondadosa madre, indicó a los criados que llenaran varias tinajas de agua.

Cuando los recipientes estuvieron llenos de agua, dijo Jesús a los asombrados servidores:

—Id al maestro de ceremonias y lle-

—Todos sirven primero el vino bueno —dijo al novio—, y cuando los invitados ya empiezan a estar hartos, ofrecen el peor. Pero tú has guardado el mejor vino para el final.

vadle este vino para que lo pruebe, antes de servirlo a los invitados.

El maestre-sala probó el agua convertida en vino y quedó maravillado de lo bueno que era.

Este fue el primer milagro que hizo Jesús en Caná de Galilea, y los servidores que habían sido testigos del extraño hecho, así como los discípulos que le acompañaban, creyeron en Él.

La multiplicación de los panes y los peces

La muchedumbre que seguía a Jesús era cada vez más numerosa.

Cierta vez estando el Maestro, como ya le llamaba la gente, al otro lado del mar de Galilea predicando a una gran multitud, dijo a Felipe para probarle:

—¿Dónde compraremos pan para dar de comer a toda esta gente?

—Hay un muchacho que tiene cinco panes y dos peces —intervino Andrés—. Pero eso no es nada.

—Traédmelos —ordenó Jesús.

Y el Maestro, tomando los cinco panes y los dos peces, los bendijo y fue entregando panes y peces a todos cuantos quisieron comer, sobrando una gran cantidad de ellos a pesar de que todos habían comido hasta no poder más.

Jesús hizo numerosos milagros: resucitó a la hija de Jairo, el jefe de la sinagoga; curó a una mujer tan sólo al tocarle ella la punta del manto; abrió los ojos a los ciegos y sanó a los cojos y a los paralíticos.

La muchedumbre se maravillaba viendo que hablaban los mudos, los mancos se curaban, los cojos andaban y podían ver los ciegos.

Y, admirados, alababan al Dios de Israel.

Jesús consolaba a los humildes, a los tristes, a los despreciados por todos, diciéndoles:

—Venid a mí todos los que estáis fatigados y tristes, que yo os aliviaré. Seguid mi ley y aprended de mí, que soy manso y humilde de corazón, y encontraréis descanso para vuestras almas.

Jesús camina sobre las aguas

Mientras Jesús se quedaba en el monte a rezar, los discípulos subieron a una barca para dirigirse a la otra orilla.

La noche les sorprendió a mitad de camino, bastante lejos todavía de la otra costa.

—El fuerte oleaje nos impide avanzar y no podemos emplear la vela, pues el viento es contrario —dijo Pedro, nervioso.

—Tendremos que seguir remando —se lamentó otro de los discípulos.

Jesús, que se había acercado a la orilla, observó las dificultades que tenían sus discípulos y fue hacia ellos andando sobre las aguas.

—¿Quién es ése que se acerca? —se asustaron los ocupantes de la barca.

—¡Es un fantasma! —exclamó uno que era muy miedoso.

Pero, al instante, Jesús les habló, tranquilizándoles y dijo:

—Tened confianza. Soy yo; no temáis.

—Señor —respondió Pedro—, si eres tú, mándame que vaya hacia ti sobre las aguas.

—Ven, pues —dijo Jesús.

Y Pedro muy decidido saliendo de la embarcación se encaminó hacia donde estaba el Maestro, andando sobre las aguas.

Tras unos primeros pasos, que dió con mucho cuidado, pronto adquirió una mayor seguridad al andar. Pero cuando se dio cuenta que el fuerte viento aumentaba la furia de las olas Pedro se asustó mucho y, al perder su seguridad, empezó a hundirse.

—¡Sálvame, Señor! —gritó el aterrorizado Pedro.

Jesús le tomó de la mano y le reprochó con dulzura:

—¿Por qué has dudado hombre de poca fe?

Y comenzaron los dos a andar sobre el agua encaminándose hacia la embarcación donde les observaban admirados los restantes discípulos.

Subieron a la barca y entonces se calmó el viento y desapareció la fuerza del oleaje.

Y los que estaban a bordo de la embarcación se arrodillaron ante Jesús, diciendo:

—Verdaderamente, tú eres Hijo de Dios.

La Transfiguración del Señor

esús había dicho varias veces a sus discípulos:

—El que quiera venir conmigo que sea humilde, que ayude a los demás y me siga.

Cierto día tomó Jesús a Pedro, a Santiago y a Juan, su hermano, y los llevó aparte, a un monte muy alto.

Y estando allí cambió su aspecto ante ellos; brilló su rostro como el sol y sus vestidos se volvieron blancos como la luz. Jesús se había transfigurado.

Y aparecieron las figuras de Moisés y del profeta Elías hablando con Él.

—Señor —tomó la palabra Pedro—, ¡qué bien estamos aquí! Si quieres haré aquí tres cabañas: una para ti, una para Moisés y otra para Elías.

Entonces les envolvió una nube resplandeciente y salió de lo profundo de ella una voz solemne que decía:

—Este es mi hijo amado, en quien tengo puesta mi confianza; escuchadle.

Los tres discípulos, atemorizados, se taparon el rostro.

—Levantaos y no temáis —oyeron decir a Jesús.

Alzaron ellos los ojos y sólo vieron a su Maestro.

—No habléis con nadie de esta visión —les dijo Jesús— hasta que el Hijo del hombre resucite cuando sea el momento fijado.

Y poco después, estando reunidos en Galilea, les anunció:

—El Hijo del hombre tiene que ser entregado en manos de los hombres para morir, y al tercer día resucitará.

Y los discípulos, al escuchar esto, se quedaron muy tristes.

Jesús cuenta parábolas

Para hacerse entender por las gentes sencillas que le escuchaban, Jesús les hablaba por medio de parábolas o relatos en forma de historias cortas.

Hay muchas; he aquí algunas.

—Oíd, —les dijo en cierta ocasión— la parábola del sembrador. A quien oye la palabra de Dios y no la sigue, viene el mal y quita lo bueno que se había sembrado en su corazón.

Y dijo otro día:

—Iba un hombre de Jerusalén a Jericó y unos ladrones le asaltaron, le robaron y le dejaron medio muerto. Pasó un sacerdote por su lado y, viéndole, pasó de largo. Y lo mismo hizo un levita. Pero un samaritano llegó a él y, viéndole, le dio compasión y curó sus heridas, alojándole y pagando él los gastos en un mesón, aunque no lo conocía.

Y preguntó Jesús:

—¿Quién de esos tres os parece haber sido verdaderamente amigo de aquel que cayó en poder de los ladrones?

—El que le ayudó —dijeron a la vez los que le estaban escuchando.

—Pues haced vosotros lo mismo —respondió Jesús.

Y les contó también la parábola del hijo pródigo o mal gastador: la del hijo que había pedido a su padre la parte de la herencia que le correspondía para marcharse de casa y entregarse a una vida ociosa y sin trabajar.

Cuando regresa pobre y arrepentido, el padre organiza una gran fiesta para celebrar su vuelta después de tanto tiempo.

—¿Cómo es eso? —se enfadó el otro hermano que se había quedado en casa cuidando a su padre—. Yo, que siempre he estado a tu lado, nunca fui tratado con tanta alegría.

—Tú siempre has estado conmigo, hijo —le respondió el padre—, disfrutando de todo lo de la casa; pero hemos de alegrarnos, porque tu hermano estaba como muerto y ha vuelto a la vida.

Jesús y los niños

Un día estando en Cafarnaum Jesús y sus discípulos, discutieron éstos quién de los doce era el más importante. Jesús, llamó a varios niños que había en la casa y les dijo a sus discípulos:

—Si alguno quiere ser el primero, que sea el último de todos y que sirva a todos los demás. Quien recibe a uno de estos niños en mi nombre, a mí me recibe, y quien me reciba a mí, no es a mí a quien recibe, sino a mi Padre, que me ha enviado.

Y dijo en otra ocasión, cuando los discípulos querían apartar los niños de él.

—Dejad que los niños se acerquen a mí y no los estorbéis. Porque de ellos es el reino de los cielos.

Y añadió:

—En verdad os digo: quien no recibe el reino de Dios inocente como si fuera un niño, no entrará en él.

Estando una vez Jesús con sus discípulos, les preguntó:

—¿Quién dice la gente que es el Hijo del hombre?

Unos respondieron que Juan el Bautista, otros que el profeta Elías o algunos de esos profetas.

—Y vosotros —preguntó— ¿quién decís que soy?

—Tú eres el Mesías, el Hijo de Dios vivo —respondió Pedro.

—Bienaventurado tú, Pedro —dijo Jesús—, porque mi Padre que está en los cielos te ha hecho conocer esta verdad. Y yo te digo que tú eres Pedro, y sobre esta piedra edificaré mi Iglesia, y las fuerzas del mal no podrán nada contra ella.

»Yo te daré las llaves del reino de los cielos, y lo que ates en la tierra será atado en los cielos.

Pero Jesús mandó a sus discípulos que no dijeran todavía que Él era el Mesías.

La resurrección de Lázaro

ierto día mientras estaba Jesús en las orillas del Jordán, le dijeron que un conocido suyo, Lázaro, el hermano de Marta y María, estaba muy enfermo en Betania.

—Esa enfermedad no es peligrosa —dijo Jesús— pero servirá para gloria de Dios. Para que el hijo de Dios sea famoso por ella.

Pero Jesús no marchó hacia Betania hasta al cabo de unos días.

Al llegar, dijo Marta a Jesús:

—Señor, mi hermano lleva ya cuatro días en el sepulcro; si hubieras estado aquí no habría muerto —dijo muy triste.

—Tu hermano resucitará —respondió Jesús, animándola.

—Sé que resucitará el día prometido de la Resurrección, en el último día —suspiró ella.

—Yo soy la Resurrección y la vida; el que cree en mí, aunque esté muerto, vivirá, —le explicó el Salvador.

Al ver Jesús cómo lloraban las dos mujeres, pidió que le llevaran al lugar donde estaba el sepulcro de Lázaro.

—Quitad la piedra —dijo.

Los que allí estaban quitaron la piedra que cubría el sepulcro, Jesús, después de orar, alzados sus ojos al cielo, gritó con fuerte voz:

—¡Lázaro, sal fuera!

Y salió Lázaro tal como le habían vestido para su entierro.

—Dejadle ir, —añadió Jesús.

Y muchos de los que habían presenciado el prodigio creyeron en Él; pero otros, escandalizados, se lo dijeron a los escribas y fariseos.

Jesús se quedó en casa de Marta y María, y también Lázaro durante unos días.

Cierto día María untó los pies del Maestro con un ungüento de nardo muy caro, y los enjugó con sus largos cabellos.

—¡Qué gasto tan grande —exclamó Judas Iscariote!— ¿Por qué no se vende ese perfume tan caro y se da el dinero a los pobres?

Pero respondió Jesús:

—A los pobres siempre los tendréis con vosotros, pero a mí no.

La entrada triunfal

Se acercaba la fiesta de la Pascua cuando dijo Jesús a sus discípulos.

—Id a esa aldea cercana y traedme un borriquillo que encontraréis, atado junto a una borrica.

—¿Y si alguien nos pregunta por qué lo desatamos? —le dijeron.

—Decidles que el Señor lo necesita para ir a Jerusalén.

Fueron los discípulos al lugar indicado y regresaron con el manso animal.

Echaron un manto sobre el asno y Jesús montó sobre él.

Cuando llegaron a la bajada del monte de los Olivos, la muchedumbre recibió a Jesús con gritos de alegría y aclamaciones, agitando palmas y ramas de árboles en su honor, y poniendo capas a su paso, gritando:

—¡Alabado el Hijo de David! ¡Bendito el que viene en nombre del Señor! ¡Gloria en las alturas!

Esto sucedió para que se cumpliera lo que había dicho el profeta muchos años antes:

«He aquí que tu rey viene a ti, manso y montado sobre un asno, sobre un pollino hijo de burra.»

La gente, recordando los milagros que había presenciado, repetía constantemente muy ilusionada:

—¡He aquí a nuestro Rey!

—¡Bendito el que viene en nombre del Señor!

—¡Paz en el cielo y gloria en las alturas!

Al darse cuenta de lo que sucedía, los fariseos, escandalizados, dijeron a Jesús:

—Maestro, haz callar a esa gente que te sigue.

Pero Jesús les respondió:

—Os digo que, si ellos callaran, gritarían las piedras verdaderamente.

Mientras Jesús entraba triunfante en Jerusalén, los fariseos se dijeron unos a otros enfadados por su derrota:

—No hemos conseguido nada en contra suya. Todo el mundo va detrás de Él.

El enfado de Jesús

A la mañana siguiente, camino de Betania, Jesús sintió hambre; viendo de lejos una higuera se fue hacia ella.

Pero sólo encontró hojas, porque no era tiempo de higos.

—Que jamás coma ya nadie fruto de este árbol —dijo.

Entrando dentro del templo de Jerusalén, donde se hallaba aquellos días para la fiesta, Jesús expulsó a los que allí vendían y compraban. Derribó las mesas de los que cambiaban y vendían palomas y otros animales, así como objetos para los sacrificios.

Y dijo a los que protestaban:

—Desde antiguo se ha escrito que el templo será casa de oración. Pero vosotros habéis convertido este santo lugar en cueva de ladrones y de negociantes.

Llegó todo esto a oídos de los príncipes de los sacerdotes, quienes exclamaron.

—¡Hay que terminar con ese impostor!

Y buscaron la manera de acabar con Él; pero no se atrevieron a hacerle nada en aquel momento, pues la muchedumbre, maravillada con sus palabras y sus milagros, le hubiera defendido.

Al día siguiente, de madrugada, al pasar junto a la higuera que habían encontrado el día anterior, Pedro dijo a su Maestro.

—Mira, la higuera que vimos ayer se ha secado.

Algo después, los sacerdotes y los escribas preguntaron a Jesús:

—¿Con qué poder haces todo esto?

Él respondió:

—Como no quisisteis saber antes que Juan bautizaba por obra del cielo, tampoco yo os digo ahora por qué hago estas cosas.

La Última Cena

La asamblea de ancianos del pueblo y los príncipes de los sacerdotes se reunieron en el palacio de Caifás para encontrar el medio de prender a Jesús y condenarle a muerte.

El Maestro había dicho a sus discípulos unos días antes de la Pascua:

—El Hijo del hombre será entregado para morir en la cruz.

El jueves, víspera de Pascua, Jesús envió a dos de sus discípulos a la ciudad.

—Id —les dijo—, y os saldrá al encuentro un hombre con un cántaro de agua; seguidle y decid al dueño de la casa donde entre que prepare una sala para celebrar una comida en la fiesta de Pascua.

Los dos discípulos cumplieron lo ordenado y prepararon la mesa poniendo en ella manteles, jarras, platos, es decir, todo lo necesario.

Llegada la tarde, Jesús se sentó a la mesa con los doce y, tomando un jarrón con agua y una toalla les lavó los pies, demostrando que hay que ser humildes.

Luego, mientras cenaban, les dijo:

—Ciertamente os digo que uno de vosotros me entregará a los soldados.

—¿Soy yo, Maestro? —empezaron a preguntarle todos.

Y respondió Jesús:

—El que conmigo moje pan en el plato, ése me hará traición. Pero desdichado de aquel por quien el Hijo del hombre ha de ser entregado; mejor le sería no haber nacido.

Tomó la palabra Judas, el que iba a entregarle, diciendo:

—¿Soy yo acaso, Maestro?

—Tú lo has dicho —le respondió Jesús, mojando un bocado de pan y dándoselo a Judas Iscariote. Y añadió—: Lo que has de hacer, hazlo pronto.

Y Judas, evitando la mirada de los otros, salió de la casa en cuanto pudo

La Eucaristía

Mientras comían, Jesús tomó pan, lo bendijo y lo partió. Lo dio a sus discípulos y les dijo:

—Tomad y comed, porque éste es mi cuerpo.

Y luego, tomando un cáliz y dando gracias a Dios dijo:

—Bebed todos de él, porque ésta es mi sangre del Nuevo Testamento, que será derramada para perdón de los pecados.

Y dijo después:

—Y yo os digo que no beberé más de este fruto de la vid hasta el día en que lo beba con vosotros en el reino de mi Padre.

Judas Iscariote, al abandonar la sala de esta cena, se dirigió al encuentro de los príncipes de los sacerdotes para indicarles el lugar en que podían prender a Jesús.

El precio de su traición quedó esta-

blecido en treinta monedas de plata.

Terminada la cena, Jesús y sus discípulos se dirigieron al monte de los Olivos para rezar. Una vez allí, les dijo:

—Todos os apartaréis de mí, porque está escrito por los profetas: «Cuando falta el pastor se dispersan las ovejas»; pero después de haber resucitado me encontraréis en Galilea.

—Aunque todos digan que no te conocen, Señor, yo jamás lo diré.

Y Jesús le respondió así a Pedro:

—Ciertamente te digo que esta misma noche, antes de que cante el gallo, me negarás tres veces.

—¡No! —protestó Pedro con grandes gestos—. Aunque tenga que morir contigo, no te negaré.

Y lo mismo dijeron los otros discípulos.

Demostraban así su fidelidad con sinceras palabras.

La oración del huerto

legados a un lugar llamado el huerto de Getsemaní, dijo Jesús a los discípulos que le acompañaban.

—Quedaos aquí mientras yo me voy un poco más lejos para rezar. Permaneced despiertos para hacerme compañía.

Retirándose un poco, Jesús se arrodilló para orar diciendo:

—Padre mío, si es posible, aparta de mí el sufrimiento que me espera. Pero no se haga como yo quiero, sino como quieras Tú.

Poco después, volvió al lugar donde esperaban sus discípulos. Los encontró dormidos y les riñó con dulzura por su debilidad.

Se apartó para rezar otras dos veces y llegó a sudar por la angustia.

Se escuchó entonces un ruido de gente que llegaba desde lejos y dijo Jesús a los que estaban con él:

—Ya se acerca la hora en que voy a ser entregado.

Judas Iscariote, que acompañaba a los soldados de los príncipes de los sacerdotes, les había indicado:

—Aquél a quien yo bese, ése es.

Y se acercó al Maestro y le besó en la mejilla, diciendo:

—Salve, Rabí.

—Judas —le echó en cara Jesús—, ¿con un beso entregas al Hijo del hombre?

Los soldados prendieron a Jesús, pero Pedro, que tenía una espada, hirió a uno de los siervos del pontífice en la oreja.

—Vuelve la espada a su vaina —le dijo Jesús—, pues quien emplea la espada morirá por la espada.

Y a los que le tenían detenido les habló de esta manera:

—¿Habéis salido con armas a prenderme, como si fuera un ladrón? Todos los días estaba entre vosotros y no me deteníais. Pero todo esto sucede para que se cumpla lo anunciado por los profetas.

Mientras se alejaban con el preso para conducirlo ante los miembros del tribunal del Sanedrín, los discípulos, asustados, huyeron todos y le abandonaron.

Jesús ante Caifás

Caifás, el pontífice, reunido con los escribas y los ancianos del pueblo, interrogó a Jesús, acusado por falsos testigos.

—Yo le oí decir —afirmó uno— que podía destruir el templo de Dios y ¡reconstruirlo en tres días!

—Por Dios te pregunto: di si eres el Mesías, el Hijo de Dios —le preguntó Caifás.

—Tú lo has dicho —respondió Jesús.

—¡Ha blasfemado! —exclamó Caifás, rasgando sus vestiduras para de-

mostrar el escándalo que le habían causado las palabras de Jesús—. Ante esta respuesta, ¿qué necesidad tenemos de más testigos?

—¡Qué sea condenado a muerte! —gritaron todos.

Y empezaron a maltratarle y a insultarle.

Simón Pedro, que había seguido a cierta distancia a los que se llevaban preso a Jesús, se quedó en el patio del palacio de Caifás en espera de ver qué pasaba.

Una criada, al verle allí, le preguntó delante de los soldados:

—¿No eres tú uno de los discípulos de ese hombre?

—Te equivocas —respondió asustado Pedro—. No soy uno de los suyos.

Otras dos veces, los que allí estaban, preguntaron a Pedro lo mismo, y él respondió que no conocía a Jesús.

—No sé de qué me hablas —respondió la tercera vez que le preguntaron—. Nada tengo que ver con el detenido.

Así que Pedro hubo negado por tres veces a su Maestro, se oyó el canto de un gallo en el silencio de la noche.

En aquel mismo instante se acordó de lo que Jesús le había dicho: «Antes de que cante el gallo, me negarás tres veces.»

Y saliendo fuera del patio, seguido por las burlonas miradas de desprecio de los que allí estaban, se acurrucó en tierra y lloró amargamente.

Pilato, gobernador romano

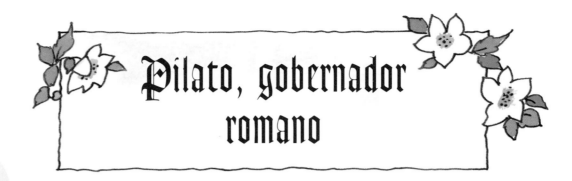

Aunque ya le habían condenado, los príncipes de los sacerdotes acordaron conducir al detenido ante Pilato, que era el gobernador romano para que confirmara la condena.

Pero Pilato le interrogó y no halló que fuera culpable de nada.

Era costumbre, con motivo de la festividad de la Pascua, dejar en libertad a uno de los presos encarcelados.

Había uno muy malvado llamado Barrabás, acusado de asesinato, y preguntó Pilato a los que habían conducido a Jesús ante él:

—Decidme qué queréis, ¿que suelte a Barrabás o a Jesús, al que acusan de decir que es el rey de los judíos?

—¡A Barrabás! —gritó la multitud animada por los príncipes de los sacerdotes.

—¡Crucifícale! —le respondieron.

A fin de intentar salvar al que consideraba inocente, Pilato ordenó azotar a Jesús. Los soldados cumplieron la orden y le colocaron una corona de espinas en la cabeza y un manto de púrpura sobre los hombros, como si fueran los vestidos de un rey.

—He aquí al hombre —dijo el gobernador romano, esperando que tuvieran compasión del condenado.

—¡Crucifícale! ¡Crucifícale! —gritó el pueblo.

Jesús fue después conducido ante Herodes, el cual, irritado, por el silencio del condenado, lo devolvió a Pilato.

—¡Crucifícale! —le exigieron.

—¿A vuestro rey voy a crucificar?

—Nosotros no tenemos más rey que el César. ¿Quieres que el emperador se entere de que te muestras favorable a este falso rey?

Viendo Pilato que nada conseguía, tomó agua y se lavó las manos, diciendo:

—Soy inocente de la sangre de este hombre justo.

—¡Caiga su castigo sobre nosotros y sobre nuestros hijos! —gritaron los judíos.

Y Jesús, coronado de espinas y cargado con una pesada cruz, fue obligado, entre gritos e insultos, a empezar a caminar hacia el Calvario.

Camino del Calvario

Las calles de Jerusalén estaban llenas de gente cuando Jesús inició su camino hacia el monte Calvario, lugar donde eran conducidos los reos condenados a la última pena.

Jesús, cargado con la cruz y debilitado por los malos tratos que había recibido antes, avanzaba penosamente.

Algunos le insultaban, pero otros le observaban en silencio y le compadecían.

Unas mujeres, al observar su cansancio se lamentaron por Él.

Pero Jesús, mirando hacia ellas, les dijo:

—Hijas de Jerusalén, no lloréis por mí, llorad mejor por vosotras mismas y por vuestros hijos.

Agotado por el peso de la cruz, cayó varias veces al suelo.

—¡Por Júpiter! —exclamó uno de los soldados de la guardia—. Este hombre se va a morir antes de que lleguemos.

Y le obligaron a que se levantara y prosiguiera su camino.

Pero viendo que a Jesús se le estaban acabando las fuerzas, obligaron a un hombre muy robusto, llamado Simón de Cirene, que venía del campo, a que cargara la cruz sobre sus fuertes espaldas para que la llevara detrás de Jesús.

El Cirineo tomó la cruz, obligado por los soldados, pero también movido a compasión por el Salvador.

En lo alto de la cruz, Pilato había ordenado que se colocara un letrero con la siguiente inscripción: **Jesús Nazareno, Rey de los judíos.**

—No escribas esto —le dijeron los príncipes de los sacerdotes—, porque Él es quien ha dicho que es el rey de los judíos.

—Lo escrito, escrito está —respondió Pilato, sin permitir variar aquel letrero.

La Crucifixión

Llegados al monte Calvario y cumpliendo la condena que se hacía en aquellos tiempos, los soldados clavaron a Jesús en el madero y ataron junto a Él a los dos ladrones que iban a ser ejecutados también, aquel mismo día.

Los soldados se repartieron los vestidos y sortearon la túnica del Maestro.

Izaron luego las cruces y las fijaron en el suelo.

Quienes habían acudido a presenciar el acto al verle allí crucificado se burlaron de Él diciendo:

—¡Si eres Hijo de Dios, baja y sálvate a ti mismo!

Uno de los ladrones, también le insultaba, pero el otro, llamado Dimas, le dijo:

—Jesús, acuérdate de mí cuando llegues a tu reino.

—Ciertamente te digo —respondió el Maestro—, que hoy estarás conmigo en el paraíso.

Al pie de la cruz se hallaban María, su madre, María la de Cleofás y María Magdalena, a las que había acompañado Juan, el más joven de los discípulos.

—Mujer —dijo Jesús dirigiéndose a su madre—, ahí tienes a tu hijo.

Y dijo luego a Juan:

—He aquí a tu Madre.

La muchedumbre seguía burlándose de Jesús:

—¿Dónde está tu poder para hacer milagros? —le gritaron unos.

—Tú que prometiste derribar el templo y edificarlo en tres días, ¿por qué no te salvas a ti mismo? —se burlaban otros.

Y los príncipes de los sacerdotes y los escribas se unían a las burlas, diciendo:

—¡Eh, Mesías, rey de Israel! ¡Baja de la cruz y creeremos en ti!

Pero desde la hora sexta comenzaron a extenderse las tinieblas sobre toda la tierra hasta la hora novena.

Entonces exclamó Jesús:

—¡Dios mío! ¡Dios mío! ¿Por qué me has abandonado?

Muerte de Jesús

Había transcurrido ya cierto tiempo cuando dijo Jesús:

—Tengo sed.

Uno de los soldados tomó una esponja, la empapó en vinagre, la fijó en una caña larga y le dio de beber.

Cuando hubo mojado sus resecos labios, exclamó el Señor:

—Todo está consumado.

Y dando un grito, añadió:

—¡Padre mío, en tus manos encomiendo mi espíritu!

E inclinando la cabeza, expiró.

Entonces el cielo se cubrió de nubes, la tierra tembló y como en un terremoto, se movieron las rocas de algunas montañas.

El centurión que mandaba a los soldados, viendo lo que estaba sucediendo, murmuró, lleno de temor:

—Verdaderamente éste era Hijo de Dios.

Un soldado, para asegurar que Jesús estaba muerto, le atravesó el costado con su lanza.

La tierra siguió temblando y el velo del templo, sin que nadie lo tocara, se rasgó de parte a parte causando espanto y tristeza entre las gentes.

Al anochecer, José de Arimatea, un miembro del Consejo que creía en Jesús, acompañado por otras gentes piadosas, desclavaron el cuerpo del Redentor y lo depositaron en un sepulcro nuevo cavado en la roca. Luego taparon la entrada con una piedra grande y pesada.

El cuerpo había sido ungido previamente con aromas según era costumbre entre los judíos, y envuelto en una sábana.

Cuando José de Arimatea y los otros se alejaron, cumplida su piadosa acción, María la madre de Jesús y María Magdalena, se quedaron llorando frente al sepulcro.

La Resurrección del Señor

Al día siguiente fueron a ver a Pilato los sacerdotes y los fariseos.

—Señor —le dijeron—, te recordamos que ese impostor, estando todavía vivo, aseguró que al tercer día resucitaría.

—¿Vosotros creéis eso? —preguntó el gobernador romano.

—No —le respondieron—, pero ordena guardar el sepulcro hasta el día tercero, no sea que vengan los discípulos de Jesús y se lleven el cuerpo, diciendo después al pueblo que ha resucitado.

—De acuerdo —accedió Pilato—. Podéis disponer de la guardia.

Los príncipes de los sacerdotes pusieron guardia al sepulcro donde estaba enterrado Jesús, sellando la piedra que lo cubría.

Pero según lo anunciado por Jesús, mientras los soldados vigilaban el sepulcro, se produjo un extraño movimiento en aquel lugar. La tierra tembló, un ángel bajó del cielo, se abrió el sepulcro y, en medio de un gran resplandor, Jesucristo resucitó, mientras los guardias quedaron como dormidos.

Pasado el sábado, en la madrugada del primer día de la semana, fue María Magdalena con la otra María a visitar el sepulcro. Pero al llegar vieron la piedra apartada.

—No temáis vosotras —dijo un ángel a las dos mujeres—. Sé que buscáis a Jesús el Crucificado; pero ya no está aquí. Ha resucitado, según había dicho.

Partieron las dos mujeres llenas de temor y de gozo a comunicar la buena noticia a los discípulos.

Pero Jesús les salió al encuentro diciéndoles:

—Dios os salve. No temáis —las tranquilizó Jesús—. Id y decid a mis discípulos que vayan a Galilea y que allí me verán.

Poco después, Pedro y otro discípulo, advertidos de lo que había ocurrido, fueron también al sepulcro y lo encontraron vacío.

Y se alegraron mucho con la esperanza de ver pronto al Señor.

Apariciones de Jesús

Los príncipes de los sacerdotes, al enterarse por los soldados de lo que había ocurrido, les ofrecieron dinero para que no dijeran lo sucedido durante la guardia.

—Decid a todos —les indicaron— que mientras vosotros dormíais vinieron los discípulos y se llevaron el cuerpo de Jesús.

Al anochecer del primer día de la semana, los discípulos estaban reunidos. Habían cerrado las puertas de la casa donde se hallaban, por miedo a que los detuvieran.

Entonces se apareció Jesús y les dijo:

—La paz sea con vosotros.

—¿Eres tú, Maestro? —se asustaron ellos, de momento.

—Soy yo —les respondió—. Como me envió mi Padre, así os envío yo. Recibid el Espíritu Santo; aquellos a quienes perdonareis los pecados, les serán perdonados; a quienes no se los perdonareis, les serán retenidos.

Y desapareció.

Tomás, que aquella noche no estaba con ellos, dudó de que fuera cierto lo que le contaban sus compañeros.

—Si no veo sus manos y toco su costado, no creeré.

Se apareció de nuevo otro día Jesús entre ellos y dijo a Tomás:

—Mira mis manos y toca mi costado. ¿Crees ahora?

—¡Señor mío! ¡Dios mío! —exclamó Tomás, poniéndose de rodillas en señal de adoración.

—Porque me has visto has creído —dijo Jesús—. Dichosos aquellos que, sin ver, creen.

Y para demostrarles que realmente había resucitado, se sentó con ellos a la mesa, diciéndoles:

—¿Tenéis algo de comer?

Ellos le dieron un pedazo de pescado asado y, tomándolo, comió en su presencia.

La Ascensión a los cielos

Jesús comentaba con sus discípulos sus últimas enseñanzas:

—Esperad la promesa que os ha de enviar el Padre tal como ya os he explicado. Juan bautizó con agua, pero vosotros, dentro de pocos días, seréis bautizados en el Espíritu Santo.

»Así recibiréis la gracia que descenderá sobre vosotros, y seréis testigos en Jerusalén, en toda Judea, en Samaria y hasta los extremos de la Tierra de todo lo que yo os he estado enseñando.

»Bautizad a las gentes en nombre del Padre y del Hijo y del Espíritu Santo, y aconsejadles que obedezcan todo cuanto os he mandado.

»Estaré con vosotros hasta cuando se acabe el mundo.

Al cabo de algún tiempo, Jesús dijo a sus seguidores que le acompaña-

ran hasta un monte cercano a Betania.

Allí les bendijo. Luego se fue elevando por el aire hacia el cielo, hasta que una nube lo ocultó a sus ojos.

—¡Señor! ¡Señor! —exclamaron ellos, con los ojos fijos en lo alto.

Entonces se les aparecieron dos ángeles y les dijeron:

—Varones galileos, ¿qué estáis mirando? Ese Jesús que se ha elevado de entre vosotros hasta el cielo, vendrá un día del mismo modo que habéis visto ahora su ascensión.

Los apóstoles se reunieron después para nombrar a otro discípulo en sustitución de Judas Iscariote. El elegido fue Matías, que se unió a ellos.

Y volvieron a ser doce los discípulos de Jesús.

El Espíritu Santo

El día de Pentecostés estaban todos los discípulos reunidos con María, la madre de Jesús. Se produjo de repente un ruido como el de un viento impetuoso que invadió toda la casa.

Aparecieron como unas lenguas de fuego que se posaron sobre cada uno de ellos, quedando llenos del Espíritu Santo.

A partir de entonces salieron a predicar el Evangelio y a hablar en público.

Pero ocurrió que cualquier extranjero que les escuchaba, entendía lo que decían en su propia lengua, como si las supieran todas.

—¿Qué prodigio es éste? —se preguntaron los que les oían—. ¿No son éstos que nos hablan los humildes galileos? ¿Cómo les entendemos cada uno en nuestro propio idioma?

Su predicación les llevó a lejanas tierras. Así Pedro llegó hasta Roma, capital del Imperio, convirtiéndose así en el primer Papa de la Iglesia fundada por Jesucristo, que pronto tuvo muchos seguidores: los cristianos.

Muchos fueron encarcelados y muchos otros sufrieron martirio.

Pero fueron la semilla de aquella nueva Iglesia que, según la promesa de Jesús, vencería a las fuerzas del mal y se extendería por toda la Tierra.

Actividades

PALABRAS CLAVE

▶ **Parábolas:** Relatos cortos parecidos a los cuentos. Jesús las contaba cuando predicaba como ejemplo para que quienes le escuchaban le entendieran con facilidad.

Misión de Jesús: Los judíos creían que el esperado Mesías los libraría de los romanos. Pero su misión no era ésta. Jesús vino a la Tierra para traer la paz de Dios a toda la humanidad y predicar el amor al prójimo.

▶ **Eucaristía:** En la última cena, Jesús bendijo el pan y el vino y les dio a comer y beber a sus discípulos. Así instituyó el sacramento de la Ecuaristía.

▶ **Crucifixión y Resurrección de Jesús:** En tiempos de Jesús, a los condenados a muerte se les clavaba en una cruz y morían por asfixia. Jesús fue crucificado, pero a los tres días de morir, un ángel abrió el sepulcro y Jesús resucitó.

PERSONAJES

Los apóstoles: Jesús dio este nombre a los doce hombres que eligió entre sus seguidores. A ellos encargó que transmitieran sus enseñanzas.

Juan el Bautista: Era hijo de Zacarías e Isabel, prima de la virgen María. Dios lo eligió para preparar el camino del Mesías y bautizar a quienes se lo pedían en las aguas del Jordán.

Pilatos: Gobernador romano. Como máximo dirigente, tenía que confirmar la sentencia de Jesús. Vio que Jesús era inocente, pero lo entregó a los judíos para que lo crucificasen.

DÓNDE OCURRIÓ

Observa este plano de la ciudad de Jerusalén y localiza estos lugares que Jesús recorrió en sus últimos días:

- Jesús entró en Jerusalén montado en un borrico y fue recibido en la bajada del **monte de los Olivos.**
- Jesús expulsó del **templo** a los vendedores y negociantes.
- Los soldados prendieron a Jesús en el **huerto de Getsemaní.**
- Después, Jesús fue conducido al **tribunal del Sanedrín.**
- Jesús fue crucificado en el **monte Calvario.**

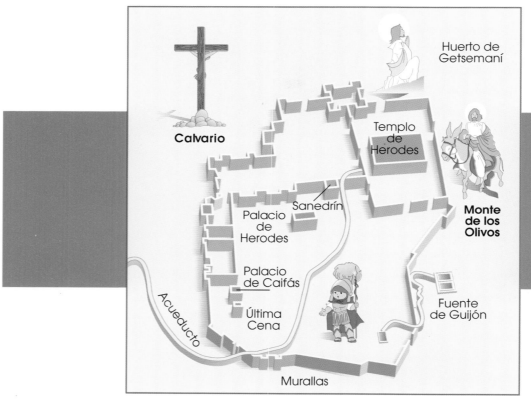

Recuerda que...
- Jesús fue ejemplo de bondad y amor.
- Jesús murió crucificado, pero al tercer día resucitó.
- Los apóstoles extendieron la palabra de Jesús por toda la Tierra.
- A los seguidores de Jesucristo se les llama cristianos.

Índice